»Die Untergänge vor sich her schleifen« – nichts ist aggressiver in Ilse Aichingers Werk als die Sammlung *Schlechte Wörter* (1976): Das sind im ersten Abschnitt Texte, die Alltagsgegenstände wie Flecken und Balkone plötzlich zum Zentrum des Erzählens machen – aber auch zu trigonometrischen Punkten, wo die Welt aus den Angeln gehoben und in ihren Phrasen und Brutalitäten entlarvt wird: »Privas ist ein Schwitzkasten, eine Anstalt für tollwütige Lieblinge, sagen wir, ab vier. Kommen Sie ihnen nicht zu nah, Fräulein, den zahmen Kleinen mit dem süßen Schaum vor sich.« *(Privas)* In der Zertrümmerung von Sinnsystemen stoßen die Kurzprosastücke des zweiten Abschnitts noch weiter vor: Texte wie *Hemlin* und *Surrender* unterwandern alle überdeckenden, betulichen Sinndeutungen und bringen die Einheit ins Wanken. *Schlechte Wörter* macht in einer programmatischen Wendung zum »Zweitbesseren« (»Das Beste ist geboten ... aber Gebote jagen mir Angst ein«) die Unnützen, die Verachteten, die Alten und Irren zu seinen Helden: »Wir hören nicht auf, aufzugeben« (*Surrender*). Dieses Engagement »ist eines der Skepsis und Illusionslosigkeit, aber es setzt sich durch, gegen Hohn und Trauer, Verbitterung und Verzweiflung«. (Heinz F. Schafroth)

»Eine Prosa der Zweifel, der Fragen, der Suche ... Diese Prosa hebt alles aus den Angeln, was sie anspricht und meint.« (Jürgen Becker)

Ilse Aichinger wurde am 1. November 1921 mit ihrer Zwillingsschwester Helga in Wien geboren, als Tochter einer Ärztin und eines von Steinmetzen und Seidenwebern abstammenden Lehrers. Volksschule und Gymnasium in Wien. Nach dem Einmarsch Hitlers in Österreich im März 1938 verlor die jüdische Mutter sofort Praxis, Wohnung und ihre Stellung als städtische Ärztin. Die Schwester konnte im August 1939 nach England emigrieren, der Kriegsausbruch verhinderte die geplante Ausreise der restlichen Familie: Die Großmutter und die jüngeren Geschwister der Mutter wurden 1942 deportiert und ermordet. Ilse Aichinger war während des Krieges in Wien dienstverpflichtet; nach Kriegsende Beginn eines Medizinstudiums, das sie 1947 abbricht, um den Roman *Die größere Hoffnung* zu schreiben. Arbeitet im Lektorat des S. Fischer Verlages in Wien und Frankfurt/M., anschließend an der von Inge Scholl geleiteten Ulmer Volkshochschule, wo sie an Vorbereitung und Gründung der »Hochschule für Gestaltung« mitarbeitet. 1952 Preis der Gruppe 47 für die *Spiegelgeschichte.* 1953 Heirat mit Günter Eich, zwei Kinder, Clemens (1954) und Mirjam (1957). Nach einigen Jahren in Oberbayern (Lenggries und Chiemsee) Umzug nach Großgmain bei Salzburg 1963. 1972 starb Günter Eich; 1984 bis 1988 lebte Ilse Aichinger in Frankfurt/M., seit 1988 in Wien. Wichtige Auszeichnungen: Preis der Gruppe 47 (1952), Georg-Trakl-Preis (1979), Petrarca-Preis (1982), Franz-Kafka-Preis (1983), Preis der Weilheimer Schülerjury (1988), Solothurner Literaturpreis (1991), Großer Literaturpreis der Bayerischen Akademie (1991).

Der Herausgeber *Richard Reichensperger,* geboren 1961 in Salzburg; Dr. jur. (1984), anschließend Studium der Germanistik, Philosophie, Theologie in Bonn und Salzburg; Dissertation über Robert Musil. Lebt als Journalist und Literaturwissenschaftler in Wien.

Ilse Aichinger
Werke

Taschenbuchausgabe
in acht Bänden
Herausgegeben von
Richard Reichensperger

Die größere Hoffnung
Der Gefesselte
Eliza Eliza
Schlechte Wörter
Kleist, Moos, Fasane
Auckland
Zu keiner Stunde
Verschenkter Rat

Ilse Aichinger
Schlechte Wörter

Veröffentlicht im Fischer Taschenbuch Verlag GmbH,
Frankfurt am Main, November 1991

Lizenzausgabe mit freundlicher Genehmigung
des S. Fischer Verlags GmbH, Frankfurt am Main

Umschlaggestaltung: Büro Aicher, Rotis
Satz: Fotosatz Otto Gutfreund, Darmstadt
Druck und Bindung: Clausen & Bosse, Leck
Printed in Germany
ISBN 3-596-11044-0

Inhalt

I

Schlechte Wörter

Ich gebrauche jetzt die besseren Wörter nicht mehr. *Der Regen, der gegen die Fenster stürzt.* Früher wäre mir da etwas ganz anderes eingefallen. Damit ist es jetzt genug. *Der Regen, der gegen die Fenster stürzt.* Das reicht. Ich hatte übrigens gerade noch einen anderen Ausdruck auf der Zunge, er war nicht nur besser, er war genauer, aber ich habe ihn vergessen, während der Regen gegen die Fenster stürzte oder das tat, was ich im Begriff war, zu vergessen. Ich bin nicht sehr neugierig, was mir beim nächsten Regen einfallen wird, beim nächstsanfteren, nächstheftigeren, aber ich vermute, daß mir eine Wendung für alle Regensorten reichen wird. Ich werde mich nicht darum kümmern, ob man *stürzen* sagen kann, wenn er nur schwach die Scheiben berührt, ob es dann nicht zuviel gesagt ist. Oder zu wenig, wenn er im Begriff ist, die Scheiben einzudrücken. Ich lasse es jetzt dabei, ich bleibe bei *stürzen*, um den Rest sollen sich andere kümmern.

Den Untergang vor sich her schleifen, das fiel mir auch ein, es ist sicher noch viel angreifbarer als der stürzende Regen, denn man schleift nichts vor sich her, man schiebt es oder man stößt es, Karren zum Beispiel oder Rollstühle, während man andere Dinge wie Kartoffelsäcke nachschleift, andere Dinge, keinesfalls Untergänge, die werden anders befördert. Ich weiß das und die bessere Wendung lag mir auch schon wieder auf der Zunge, aber nur um zu fliehen. Ich trauere ihr nicht nach. *Den Untergang vor sich her schleifen* oder besser *die Untergänge,* ich versteife mich nicht darauf, aber ich bleibe dabei. Ob man sagen kann *ich entscheide mich dafür* ist fraglich. Die bisherigen Sprachgebräuche lassen eine Entscheidung da, wo es sich nur mehr um eine Möglichkeit handelt, nicht zu. Man könnte sich darüber unterhalten, aber ich habe diese Unterhaltungen satt –

sie werden meistens in Taxis auf den Wegen stadtauswärts geführt – und nehme meine angreifbaren Wendungen in Kauf.

Ich werde sie natürlich nicht anbringen können, aber sie tun mir leid wie Souffleure und Opernglasfabrikanten, ich beginne eine Schwäche für das Zweit- und Drittbessere zu bekommen, vor dem sich das Gute ganz geschickt verbirgt, wenn auch nur im Hinblick auf das Viertbessere, dem Publikum zeigt es sich häufig. Das kann man nicht übelnehmen, das Publikum wartet ja auch darauf, das Gute hat keine Wahl. Oder doch? Könnte es sich nicht im Hinblick auf das Publikum verbergen und den schwächeren Möglichkeiten sein Gesicht zeigen? Das muß man abwarten. Ausreichende Devisen gibt es genug – das komplizierte Erlernbare – und wenn ich mich auf die nicht ausreichenden stütze, so ist das meine Sache.

Ich bin auch bei der Bildung von Zusammenhängen vorsichtig geworden. Ich sage nicht *während der Regen gegen die Fenster stürzt, schleifen wir die Untergänge vor uns her,* sondern ich sage *der Regen, der gegen die Fenster stürzt* und *die Untergänge vor sich her schleifen* und so fort. Niemand kann von mir verlangen, daß ich Zusammenhänge herstelle, solange sie vermeidbar sind. Ich bin nicht wahllos wie das Leben, für das mir auch die bessere Bezeichnung eben entflohen ist. Lassen wir es *Leben* heißen, vielleicht verdient es nichts besseres. *Leben* ist kein besonderes Wort und *sterben* auch nicht. Beide sind angreifbar, überdecken statt zu definieren. Vielleicht weiß ich, warum. Definieren grenzt an Unterhöhlen und setzt dem Zugriff der Träume aus. Aber das muß ich nicht wissen. Ich kann mich heraushalten, ich kann mich sogar leicht heraushalten. Ich kann daneben bleiben. Sicher könnte ich *leben* so oft vor mir hersagen, bis mir davon übel würde und ich mich gezwungen sähe, zu einer anderen Bezeichnung überzugehen. Und *sterben* noch öfter. Aber ich tue es nicht. Ich schränke ein und schaue zu, damit bin ich genügend beschäftigt. Ich höre auch zu, aber das hat gewisse Gefahren. Dabei können einem leicht Einfälle unterlaufen. *Sammle den Untergang* hieß es unlängst, es klang wie ein Gebot. Das möchte ich nicht. Wenn es eine Bitte wäre, so wäre sie zu überlegen, aber Gebote jagen mir Angst ein. Deshalb bin ich auch zum Zweitbesseren übergegangen. Das Beste ist geboten. Deshalb. Ich lasse mir nicht mehr Angst machen, ich habe genug davon. Und noch mehr von meinen Einfällen, die gar nicht die meinen sind, weil sie sonst anders hießen. *Meine Ausfälle* kann es heißen, aber nicht *meine Einfälle.* Ach was, es kann alles heißen. Das haben wir zur Genüge erfahren. Die wenigsten können sich wehren. Sie kommen zur Welt und werden sofort von alledem umgeben, was sie zu umgeben nicht ausreicht. Ehe sie den Kopf wenden können, werden ihnen, begonnen bei ihrem eigenen Namen, Bezeichnungen zugemutet, die nicht zutreffen. Sie sind schon in den Schlafliedern leicht nachzuweisen. Später wird das massiver. Und ich? Ich könnte mich wehren. Ich könnte statt dem Erstbesten leicht dem Besten auf der Spur bleiben, aber ich tue es nicht. Ich will nicht auffallen, ich mische mich lieber unauffällig hinein. Ich schaue zu. Ich schaue zu, wie alles und jedes seine rasche, unzutreffende Bezeichnung bekommt, ich tue sogar seit kurzem mit. Der Unterschied ist nur: ich weiß, was ich tue. Ich weiß, daß die Welt schlechter ist als ihr Name und daß deshalb auch ihr Name schlecht ist.

Sammle den Untergang – das klingt mir zu gut. Zu scharf, zu genau, den späten Vogelschreien zu ähnlich, eine bessere

Bezeichnung für die reine Wahrheit als die reine Wahrheit es ist. Damit könnte ich auffallen, aus meiner lange und schwer eroberten bescheidenen Stellung in der Phalanx der Benenner herausgehoben werden, meinen Zuschauerposten verlieren. Nein, das lasse ich. Ich bleibe bei meinem Regen, der gegen die Fenster stürzt, in der Nähe der zweckgebundenen Ammenmärchen – und wenn schon Untergänge, dann solche, die man vor sich her schleift. Das Letzte ist fast schon zu genau, vielleicht sollte man Untergänge überhaupt aus dem Spiel lassen. Sie sind dem, wofür sie stehen, zu nahe, stille Lockvögel, die die Norm umkreisen. Norm ist gut, Norm ist in jedem Fall ungenau genug, Norm und der Regen, der stürzt, alle Vor-, alle Nachnamen, das geht endlos und man bleibt der stille Zuschauer, der man sein möchte, aus der einen oder der anderen Richtung beifällig betrachtet, während man die Fäuste in den Taschen und die Untergänge bei sich selbst läßt, fortläßt, sein läßt, das ist gut. Sein lassen ist schon wieder zu gut, zum Lachen gut, nein, weg mit den Untergängen, sie ziehen unerwünschte Genauigkeiten an und kommen in keinem Schlaflied vor.

Der Regen, der gegen die Fenster stürzt, da haben wir ihn wieder, den lassen wir, der läßt alles in seinem unzutreffenden Umkreis, bei ihm bleiben wir, damit *wir* wir bleibt, damit alles bleibt, was es nicht ist, vom Wetter bis zu den Engeln.

So läßt es sich leben und so läßt es sich sterben und wem das nicht ungenau genug ist, der kann es in dieser Richtung ruhig weiter versuchen. Ihm sind keine Grenzen gesetzt.

Flecken

Wir haben jetzt Flecken auf unseren Sesseln. Es sieht aus, als hätte jemand gezuckerte Milch darüber geschüttet. Diese Flecken sind zu bedenken. Wer hat die Milch darüber geschüttet und wann? War es ein Gast und lief er fort, ein Kind vielleicht? Es könnte leicht ein Kind gewesen sein, wenn es auch Erwachsene gibt, die ganz gern gezuckerte Milch trinken. Und wann? Am späten Vormittag oder gegen Abend? Und wäre die Welt anders ohne diese Flecken? Das ist eine müßige Frage. Sie wäre anders. Sie wäre ohne diese Flecken. Natürlich gäbe es trotzdem die Rocky Mountains und die Catskillberge, Krankenhäuser mit Diphtheriekindern und Hoffnungslosigkeiten aller Art, das hübsche Haus, in dem Longfellow seine hübschen Töchter heranwachsen sah. Aber auch all diese in den Bestand unserer verzweifelten oder fröhlichen Gemüter längst aufgenommenen Dinge wären anders. Sie wären ohne die Flecken auf unseren Sesseln. Nicht daß sie ihre verschneiten Häupter oder was immer sie haben, anders trügen, aber sie hätten zum Beispiel eine andere Reihenfolge, die Flecken auf unseren Sesseln müßten nicht in die Hierarchie der Bestände aufgenommen werden, und das müssen sie jetzt. Und da sich diese Hierarchie ändert, ändern sich auch die Blickpunkte, von denen aus in Betracht gezogen wird, was in Betracht gezogen gehört.

Aber wo ist der Weltveränderer, das rasche Kind oder der absonderliche Erwachsene, der die Flecken verursacht? Weggelaufen oder weggeschlichen? Aus Schrecken mit dem Kopf gegen die Türbalken gerannt oder würdevoll davongegangen? Überrascht worden oder nicht? Vielleicht war es ein letzter oder vorletzter Versuch, Trost zu suchen, eher ein vorletzter. Gezuckerte Milch. Und dann kam der letzte. Der könnte Dover heißen, diese Reisen sind ja üblich. Aber die Flecken, die gezuckerten Milchflecken? Die nicht. Die betreffen uns. Man kann sie nicht einreihen und damit der Hierarchie einen der gewissen leichten Stöße geben, die ihr nichts antun, weil sie vorgesehen sind. Die zu den einbezogenen Veränderungen gehören wie der Tod. Zu den listigen Winkelzügen des Daseins, für die der Raum von Anbeginn an freigehalten wird, wenn auch manchmal zu gering bemessen. Das hat so zu sein. Wußten Sie das nicht? Hören Sie endlich zu zittern auf. So ist das mit Reisen oder mit dem Tod. Aber nicht mit den Flecken auf unseren Sesseln. Reisen oder der Tod verändern die Horizontale. Wieder einer, sagt man leichtfertig und schiebt die Reihen zusammen. Aber diese Flecken verändern die Vertikale. Die Hierarchie beginnt zu schwanken, wenn auch nicht aus Angst. Sie gehört nicht zu den Leidenden, die man anfunkeln kann. Sie kann leiden machen. Sie ist blind, taub und da einsturzgefährdet, wo man es am wenigsten erwartet. Es dämmert, aber die Flecken gehen nicht weg.

Vielleicht hilft es, sie zu betrachten. Sie als das Zentrum der Erklärungen anzusehen, die nicht kommen, als ein Spiel, das sich aufgab. Das gegen alle Erwartungen, die man ihm entgegenbrachte, begriff, daß es als Spiel nicht gemeint war und dem es deshalb nur mehr dringlich war, sich aufzugeben. Milchflecken und dazu noch gezuckert, da beginnt sich die Selbstaufgabe zu lohnen. Da spart man ein. Besser: da wird eingespart. Alles was zwischen Himmel und Höllen ist und Himmel und Höllen auch, diese ausschließenden Bereiche, die den Mund heiß oder wässerig machen. Da bleibt nicht nichts. Nichts weckt Aufmerksamkeit. Nur keine Aufmerksamkeit wecken. Aber die Vertikale der Erscheinungen schwankt. Es ist eingetreten, was nicht vorgesehen war, was das Minimum unterbietet. Die Polizisten helfen sich gegenseitig auf, die Götter, die Selbstzerstörer. Aber Milch, zu der noch kam, was nicht dazugehört, und das in einem geringfügigen Maß? Auf keinen Tisch geschüttet, da gäbe es Zugehörigkeiten, sondern auf Sessel, lederartige Bezüge, eher eine Ledernachahmung. Kaum Übelkeiten erzeugend. Nicht zu bedenken. In nichts den wilden, jungen Flüssen vergleichbar. Keiner Gefahr. Wenn man sie Herumtreiber nennen könnte, aber das kann man auch nicht. Die Mehrzahl eines entfernbaren Zwischendaseins. In Worten nicht bildbar. Schon gut, schon sehr gut. Mit niemandem zu erörtern, nicht aufzuschließen. Es gibt eine Form von Bescheidenheit, die mit Bescheidenheit unverwandt ist, auch mit Unbescheidenheit. Es gibt eben unerträgliche Formen, da haben wir sie, da machen sie sich breit. Aber nicht sehr breit. Keine Lücken, die man weiterreißen könnte. Flecken, Flecken. Durch den Zustand der Trockenheit begrenzt. Einmal waren sie naß, vielleicht eben noch. Diese gewesene Nässe gibt sie der Lächerlichkeit preis. Und in dem Bereich der Lächerlichkeit wiederum nicht der Mitte, eher dem Rand. Nein, auch nicht dem Rand. Einer dem Rande nahen mittleren Zone. Immerhin. Vielleicht zählt doch nur, was der Lächerlichkeit preisgegeben ist, vielleicht beginnt erst bei ihr der geheime Herzschlag? War es nicht doch ein Kind?

Diese Kinder. Damit könnte man sich trösten. Kinder, kurz ehe sie die toten Väter finden, wie sie nachlässig über die Schwelle treten, die Blicke über die Wände gleiten lassen, die Becher mit der Stärkung, die nicht reicht, erst in beiden Händen halten, dann in einer, dann abstellen. In Sesselhöhe. Eben dorthin. Und dann noch einmal daran stoßen, ehe sie wieder nehmen, was ihnen gehört, und sich vorsichtig verziehen, Schritt für Schritt, mit dem Rücken zur Schwelle und dann darüber. Spiegelungen, ein Tanz. Gleich ist alles vorüber, die Höhenmaße, die Zustände. Keine Zeit mehr, fortzuwischen, was verschüttet wurde. Kein Blick mehr. Die toten Väter siegen. Die Flecken auch. Wenn es so gewesen wäre? Aber wer weiß das? Die Flecken sind gelehrige Lehrmeister. Nur nicht die Trostversuche übertreiben. Höhenmaße wurde gesagt, nicht Höchstmaße. Das weiß man nicht. Man kann sich alles vorstellen. Es kann auch eine Schnecke gewesen sein. Nein, nein, eine Schnecke sicher nicht, auch kein Zaunpfahl. Aber sonst gibt es genug Möglichkeiten der Entstehung. Vielleicht sind sie überhaupt Anfänge von Vorstellungen. Weil es Anfänge nicht gibt. Diese Flecken siegen. Sie siegen auch.

Zweifel an Balkonen

Die Balkone in den Heimatländern sind anders. Sie sind besser befestigt, man tritt rascher hinaus. Aber man sollte sich vorsehen, weil die Balkone in den Heimatländern anders sind. Weil ihre Bauart Dinge ermöglicht, die auf anderen Balkonen nicht möglich wären. Weil ihre Verankerung, selbst in den schwächsten Mauern, gleichgültig, ob sie von leichtfertigen oder von ängstlichen Bauleuten zustande gebracht wurde, durchaus verschieden von der Verankerung der Balkone in den Ausländern ist. Sie ist identisch mit der gefährlichen Verankerung der Treue, die sich nicht kennt. Man tritt hinaus, die Luft umschmeichelt einen freundlich, man merkt es nicht gleich. Man tritt wieder hinaus, man merkt es noch immer nicht. Es steht mit blanker Schrift xaíre über den Balkonen oder es steht nichts darüber als die bloße Wand, keins von beidem ändert etwas. Sie werden dadurch weder erklärt noch begriffen. Ihre Bauart tut nichts zur Sache, die Form ihrer Geländer schon gar nicht. Sie sind die Balkone der Heimatländer und das allein läßt ihre Stellung innerhalb der Balkone der restlichen Welt ahnen. Ein Acker zieht sich zur Rechten hin, aber was soll ein Acker einer Sache, die durch sich selbst bestimmt ist? Was sollen Vorstadtstraßen, Tankstellen, Ententeiche den Balkonen der Heimatländer? Alte Sagen schaden ihnen nichts, Birnbäume lassen sie gleichgültig. Es geht aus verschiedenen Auslegungen hervor, daß sie beim jüngsten Gericht gesondert aufgerufen werden und vermutlich landen sie rechts bei den Engeln, sie werden Vorwände finden. Man kann es sich gut vorstellen, wie die Balkone ineinander verkrallt zu den Engeln stürzen, liebevoll von Flügeln getragen, und man wagt nicht zu bedenken, was sich daraus ergeben könnte, in welcher Form sie daraus Nutzen zögen. Durch Namensänderung vielleicht. Himmlische Heimatbalkone oder Balkone der ewigen Heimat. Das ist alles nicht auszudenken. Und wie sie sich verankerten. Ob die himmlischen Wohnungen, die vielen, darauf angelegt sind. Oder ob sie einfach als ein Drahtspielzeug, verkrallt ineinander wie sie sind, die ewigen Haine schmücken. Man wird sehen. Aber rechts landen sie und sie strahlen ihre eigene Sicherheit darüber schon von ferne aus. Schon jetzt, schon gestern und vorgestern. Es schmälert diese Sicherheit nicht, daß sie von woanders, von der Fremde her, als fremdländische Balkone angesehen werden könnten. Das ergibt keinen Sinn für sie. Und das macht ihre Gefahr aus. Die Kaffeegesellschaften oder die einsamen Männer, die auf ihnen an den langen Frühsommernachmittagen Platz finden, ahnen nichts. Keine Kaffeegesellschaft ahnt auch nur, welcher ihrer Teilnehmer am jüngsten Tag links oder rechts landen wird, kein Mann, keine Frau weiß es von sich, aber die Balkone der Heimatländer wissen es. Ihre Schuld ist unbeweisbar, ihre Vorzüge nicht zu bestreiten. Balkon, Heimatland, Ausblick, aber immer wieder der Weg ins Balkonzimmer zurück. Obgleich unbeweglich, wiegen sie doch den, der sie betritt, in einer Sicherheit, die nicht zutrifft, übertragen, was nicht zu übertragen ist, spielen die jungen Tage, den jüngsten inbegriffen, als die alten Tage aus und grüßen den Vorübergehenden womöglich noch mit ihrem unverschämten χαίρε. Unverschämt, das sind sie, sie haben den Frieden für nichts gepachtet und lenken vom Denken ab. Und sie entstehen immer neu. Abschiede werden auf ihnen vollzogen, Häkelmuster oder Betrügereien besprochen. Niemand kann ihnen etwas anhaben, solange es gibt, was sie bestimmt: Balkone und Heimatländer. Und beides wird es immer geben, dafür sorgen die Berufenen. »Junge« rufen die Mütter überrascht und springen von ihren luftigen Plätzen auf, wenn die Söhne aus den Manövern kommen und ihre Mützen auf die Balkonböden gleiten lassen, »Junge, daß du da bist!« Und da sind sie dann, schon wieder auf den Balkonen. Erinnerungen werden ausgetauscht, die Balkone der Heimatländer sind windgeschützt. »Weißt du noch, wie wir hier Halma spielten?« Ja, Harmlosigkeiten, das ist es, Harmlosigkeiten haben diese Balkone immer bereit, Halma und Tee, Hausaufgaben, die Soldatenmützen liegen unbeachtet auf ihren Böden, die Mütter sind zufrieden. Das macht auch der Sauerstoff, die frische gute Luft, und je seltener sie wird, desto mehr werden die Balkone der Heimatländer daraus Nutzen ziehen.

Anders die fremdländischen Balkone. Auf sie stürzt man, womöglich über eine Schwelle, die man nicht beachtet hat, betrachtet unsicher das ungewohnt niedrige Gitter und die fremdsprachigen Aufschriften der Versicherungsgesellschaften auf den Häusern gegenüber, bekommt einen Windstoß ins Genick, den man nicht vorgesehen hat, und zieht sich erschrocken wieder in die Innenräume zurück, sobald immer es möglich ist, die Höflichkeit den fremden Gastgebern gegenüber es erlaubt. Keine Rede davon, daß man sich auf einem fremdländischen Balkon für länger niederließe. »Ausländerbalkone« denkt man bei sich und nichts weiter. Man hat nicht erwartet, daß man seinen Wolfshund dorthin mitnehmen könne, daß es ihm gestattet sei, an den fremden Gittern zu schnüffeln, sich an den Beinen der ausländischen Gastgeber vorbei darauf zu drängen und neugierig die fremde Luft einzuziehen. Man hat gar nichts erwartet. Es gibt auf ausländischen Balkonen keine Enttäuschung, man weiß Bescheid.

Auf den Balkonen der Heimatländer sind Tiere selbstverständlich. Sie drängen sich zwischen den Blattpflanzen hindurch darauf, sie ruhen unter den Balkontischen, obwohl sie am Tage des jüngsten Gerichts weder für rechts noch für links vorgesehen sind. Den Balkonen der Heimatländer macht das nichts aus. Sie sind unbeteiligt. Daß diese Unbeteiligung einer Täuschung gleichkommt, fällt niemandem auf. Daß ein Wolfshund unter dem Balkontisch eines heimatlichen Balkons meinen könne, er käme in den Himmel, wer bedenkt das schon? Da sind die Balkone der Ausländer ehrlicher. Auf ihnen erwartet kein Tier die ewige Seligkeit, es sei denn ein ausländisches Tier. Da liegt dann der Fall aus den bekannten Gründen anders. Nur ausländische Lämmer könnten auf ausländischen Balkonen auf die Idee kommen, daß ihnen die ewigen Weiden sicher wären. Weshalb, wissen wir ja. Vermutlich haben wir lange schon begonnen, zuviel zu wissen, zuviel über abwegige Dinge nachzudenken wie etwa über die Balkone der Heimatländer. Niemand hat es von uns verlangt. Unterscheidungen von Aus- und Inländerbalkonen führen zu einer Zersplitterung, deren Ausgang nicht abzusehen ist. Wer, der einmal damit begonnen hat, sollte noch unbefangen, an ein Balkongitter gelehnt, Sonnen- oder Mondaufgänge auf sein Gemüt wirken lassen?

Die Sonne der Heimatländer, der Mond der Heimatländer. Das führt weit. Es zeigt, daß die Fähigkeit, zu unterscheiden, nicht geweckt werden sollte, wenn sie nicht schon wach ist. Bis zu Balkonen dürfte sie nicht vordringen, da liegen sicher ihre Grenzen. Aber können wir zurück? Kann, wer einmal die Balkone der Heimatländer als die Balkone der Heimatländer erkannt hat, diese Erkenntnis abweisen? In ihre Grenzen rufen?

Oder auch nur in seinem Herzen bewahren? Das ist zu bezweifeln. Nicht einmal das sichere Ende zum Beispiel im Abriß befindlicher Balkone oder Häuser mit Balkonen kann ihn beruhigen. Er wird unsicher bleiben, er ist in seinem Heimatland.

»Ich lieb das schöne Örtchen, wo ich geboren bin«, das hat er in der Schule gelernt. »Dort blüht mein junges Leben, von Lieben rings umgeben, in immer heiterm Sinn.« Später kam leider der Gedanke an die Balkone dazu. An die Undurchschaubarkeit der Balkone der Heimatländer. Seither hat sein Sinn die Heiterkeit verloren. Lauben gingen noch an, aber mit Lauben hat er es hier nicht zu tun. Er hat es mit Balkonen zu tun, und das beschwert ihn, verfinstert seine Laune. Er kann auch mit Freunden nur mehr wenig besprechen. Zuerst lachten sie oder wurden ernst, erörterten jedenfalls den Gegenstand einige Nachmittage lang. Dann wurden sie ungeduldig. Er ist jetzt mit seinen Balkonen allein, mit seiner verzweifelten Erkenntnis, mit seiner messerscharfen Unterscheidung, die ihn nicht mehr ruhen läßt. Wann kam sie, wann fiel es ihm ein?

Die Balkone der Heimatländer. »Unmaßgeblich«, hat ihm einer entgegnet. Das Wort geht ihm nicht aus dem Sinn. Sind Balkone nicht mehr oder weniger eine Maßgabe? Nach Maß zugegeben, um die Heimat besser betrachten zu können? Und können Maßgaben unmaßgeblich sein? Nein, nein, er hat recht, aber dieses Recht macht ihn verlassen. »Du meinst dich selber«, sagte ihm einer. Sich selber? Gott bewahre. Was hat er mit Balkonen gemeinsam? Das ist zu weit gegriffen, aber so weit griffen sie. Er wird sich keinem mehr anvertrauen. Er ist kein Balkon, soviel ist sicher, und schon gar nicht der Balkon eines Heimatlandes. Er ist unbegehbar und rechnet nicht damit, rechts zu landen, wenn der jüngste Tag anbricht. Er macht den Tieren nichts vor, er bedenkt sie. Er ist nicht jemand, den man mit vollem Recht treten kann und der sich doch engelhaft gebärdet. Er hat Fehler, aber nicht diese, er gewährt keine täuschenden Ausblicke. Sagen und Birnbäume lassen ihn nicht unbeeinflußt. Weltrichtungen sind ihm nicht gleichgültig. Er ist anders als die Balkone der Heimatländer. Er gibt sich nicht zufrieden.

Wie aber, wenn er es doch wäre? Er selbst der Balkon eines Heimatlandes in einem Heimatland. Er wird verreisen, um dieser Frage auszuweichen, er wird weit weg fahren. Man wird vielleicht mit ihm rechnen können, aber nicht so, das wird er zu vermeiden wissen. Er wird in der Ferne sein Unglück suchen, da, wo es hingehört. Nein, er selbst ist es nicht. Aber wer ist es, wer sind sie, die Balkone der Heimatländer, die großen unscheinbaren Täuscher? Soll er sie lassen, weiter täuschen lassen? Immerhin nur den, der getäuscht werden will. Oder getäuscht werden soll. Mit dieser Frage wird er sich weiter befassen, er wird den Himmel absuchen. Er wird darauf kommen, aber nicht hinein. Er macht kein gemeinsames Spiel mit den Balkonen der Heimatländer. Sollen sie die Engelsflügel, die himmlischen Hausmauern, die ewigen Heimatländer besetzen. Er wird nicht dabei sein.

Die Liebhaber der Westsäulen

Der Schnee auf den Kapitellen der Westsäulen, nur Außenseitern unerträglich. Den kleinen Außenseitern, die wir ohnehin weglassen wollen, die den Fortgang verhindern. Besser auf der Seite der Gekaderten bleiben, die der Schnee auf den Kapitellen kälter läßt als er ist. Der Schnee. Er ist zu wenig kalt. Wäre er kälter, er ließe den Westsäulen die Form, festigte sie, umschlösse sie für immer und verginge nicht schon unter der schwächsten Sonne. Aber so wie er ist, läßt er nur Sprünge zurück, beschleunigt die Untergänge, die den Gekaderten nichts ausmachen, sondern wieder nur den Außenseitern, die den Beginn der Unerträglichkeit erfunden haben. Ratlos umlaufen sie die Säulen, die die andern umgehen, um entzückt die alten, jetzt mit Hafer bebauten Schlachtplätze zu betrachten, sich gegenseitig ihre wohlklingenden Namen zuzurufen, sich je nach Temperatur die Hände zu reiben oder die Schultern zu klopfen, während die Außenseiter, die Ratlosen, bleiben und dem Hafer weiter unten wenig Blicke schenken. Der wird blühen, den kennen sie. Ihnen blüht er nicht und deshalb kennen sie ihn. Den schönen Hafer. Blüht er überhaupt? Stroh blüht auch nicht. Sie wenden sich ab. Sie gehen gesondert in ihre alten Orte zurück. Aber es sind gute Leute unter ihnen. Maler, denen das Gelb auszugehen beginnt, Strukturentwerfer für kleinere Stallungen, die ihren eigenen Kopf haben, Spengler, Privatleute, Jagdgegner, alles mögliche. Gemeinsam ist ihnen nur, daß sie die Westsäulen im Kopf haben, die alten gesprungenen Westsäulen, den flachen Hügel, und daß der Schnee sie nicht störte, wenn er nicht auch auf die Westsäulen fiele. Die andern, lassen wir sie ruhig die Gekaderten heißen, stört der Schnee im allgemeinen, auch wenn sie das Gegenteil behaupten, auf den Westsäulen stört er sie nicht. Das sind die Unterschiede, sie sind schwach, wir wollen es zugeben, aber wegzureden sind sie nicht. So versucht man sie zu verschweigen, läßt den Maler mit dem unvollständigen Farbkasten ruhig umkehren, die Spengler und die Jagdgegner und alle andern auch. Die kann man ruhig lassen. Die tun sich nicht zusammen. Nach dem Gelb wird dem Maler auch das Rot ausgehen, dem Spengler vielleicht bald die Nägel, danach kommt schon das Blech, und den Privatleuten und Jagdgegnern ist das meiste ohnehin schon ausgegangen. Nein, wegen solcher Leute muß man sich keine Sorgen machen, ihre Westsäulenliebhaberei spricht für sich selbst. Für ihre Köpfe wäre jedes Kopfgeld zu schade. Lassen ist das beste. Sie sterben ja auch, während die andern nur singen »Gestorben muß sein« und sich dann schlafen legen, aber nicht für lange. Wer nicht singt, sondern stirbt, den muß man nicht einmal einordnen, Westsäulenliebhaber ist eine gute gemeinsame Bezeichnung, sie wird so gut wie nicht vorhalten und alles ist wieder in Ordnung: die Sicht auf die gründlich bebauten Schlachtfelder, die leicht und angenehm abwärts führenden Wege und auch die anderen bezeichnenderweise immer in den Hintergrund führenden Wege in die Wohnorte der Ratlosen, der Nichtsänger, sind nicht mehr durch schwarze, vereinzelte und womöglich gebückte Gestalten gestört. Ihre Farbkästen trocknen dann aus, ihre schäbigen Blechreste verrosten, ihre Jagdgegnereien schlafen ein. Da sie ja nicht singen, für immer. In ihren öden Zimmern wächst der Schwamm. Ihre zweifelnden, oft schmerzlichen, oft ungebärdigen Blicke auf den Schnee der Westsäulen erübrigen sich dann, ihre sorgsamen und verängstigten Schritte rund um die Sockel enden und es werden keine Spuren zurückbleiben. Nur ein Gran Geduld, nur eine Weile noch und alles ist in Ordnung.

Aber vielleicht wäre es doch geboten, solange diese Weile dauert, vorsichtig zu sein, sie unauffällig zu beobachten, zu sorgen, daß sie vereinzelt bleiben. Keine schwierige Aufgabe, vor allem nicht, wenn man sie aufteilt, sich in Gruppen zusammentut, geordnet vorgeht. Für alle Fälle. Sicher könnte man es auch rascher zuwege bringen, die ohnehin schon abbröckelnden Westsäulen umlegen und sie in die Haferfelder rollen lassen, aber das wird kaum nötig sein. Wenn der Hafer zu wachsen, hochzustehen und zu blühen beginnt, sind die Liebhaber der Westsäulen womöglich schon darunter, vermengt mit den alten ehrlosen Resten der unfreiwilligen Schlachtenteilnehmer, der Ausgehobenen. (Die andern liegen woanders, ihr Andenken wird mit dem bekannten Vers besungen.) Und Westsäulen ohne Westsäulenliebhaber sind ungefährlich. Sie stützen ohnehin nichts als den Himmel, der sich seit langem schon allein abgesichert hat. Sie sind Erinnerungsstützen ohne Erinnerung, behindern den Straßenbau und könnten auf spielende Kinder fallen. Das ginge den anderen, den Gekaderten, gegen den Strich. Sie lassen deutlich erkennen, daß ihr Herz der Jugend gehört und vereinigt damit dem Straßenbau. Der bedachten Aufteilung des Geländes. Die alten Schlachtfelder sollen freilich geschont werden, sind außerdem bebaut und lockern die Landschaft auf. Sie erinnern an etwas und es ist gesichert, woran sie erinnern. Sie stehen nicht in die Luft, sondern liegen flach und in die vereinbarten Fächer der Erinnerung eingegliedert vor aller Augen. Was vom Himmel fällt, schadet im schlimmsten Fall dem Hafer und das nur in den Jahren, die als schlecht vorausgesagt sind, ihnen nicht. Den Westsäulen hingegen schadet, begonnen mit dem lächerlichen Schnee, dem unschädlichen, der für Kinderherzen wie geschaffen ist, alles. Ob Frühjahrsregen oder Sommerhitze, die doch die Früchte der Erde hervorbringen helfen, ihnen schaden sie. Kann man nicht mit gutem Gewissen von ihnen sagen, daß sie Schädlinge sind, da ihnen doch der so nützliche wie unerschütterliche Reigen der Natur schadet? Und Schädlinge sind die, die ihnen anhängen.

Westsäulen. Weshalb wurden sie nicht unter einem anderen Himmel gebaut, der keine Macht gehabt hätte, das, was sie stützen, zum Einsturz zu bringen und sie sinnlos wie Krückstöcke, zerbröckelnd stehen zu lassen? Sie bilden auch keine natürliche Grenze wie Flüsse zuweilen, sie stehen nur da, sie werden definiert von ihren Zwischenräumen, die unverwendbar sind, und von sonst nichts. Eine Art von Idiotie muß sie hervorgebracht haben, und das ist ein schwer zu ertragender Gedanke für die Frohgemuten unter denjenigen, deren Ahnen diese Gegend bevölkerten. Kann man ihnen vorwerfen, daß sie sich zu Kadern zusammentun, daß sie vorgehen wollen, wie auch immer?

Die Liebhaber der Westsäulen werden dann zu den Verteidigern der Westsäulen, das ist ein Abstieg. Sie sind Abstiege gewohnt, aber Abstiege haben ihre natürliche Begrenzung. Von einem gewissen Punkt ab kann man sie ruhig als Untergänge definieren. Man kann also mit diesen kleinen Abstiegen ganz zufrieden sein, einer folgt dem andern, auch Niedergang ist ein gutes Wort. Sie sind obstinat, das schadet ihnen, ihre Vereinzelung schadet ihnen, ihr schleifender Gang, jeder zweite zieht die Füße nach. Nicht einmal ihre gemeinsame Liebe zu den sieben Säulen können sie in eins bringen, austauschen oder auch nur miteinander erörtern. Sollen sie ruhig weiter kommen und mit ihren ängstlichen

Blicken die Kapitelle schleifen, den Schnee darauf, die Risse, die sich nach unten hin fortsetzen, sollen sie ruhig noch eine kurze Weile umwandern, was fallen wird. Die Liebhaber der Westsäulen sind verloren.

Der Gast

Adolphe besucht seine Tanten zweimal im Jahr. Es gibt Leute, die meinen, er besuche sie zweimal in der Woche, aber das ist ein abwegiger Gedanke. Er besucht sie zweimal im Jahr. Er tut dann allerdings so, als besuchte er sie fast täglich, nimmt ihren Haustorschlüssel mit, den er auch sonst öfter bei sich trägt, macht sich gleich nach der Schule auf den Weg, durchquert den Vorgarten, springt rasch die vier oder fünf niedrigen Treppen hinauf, schließt auf und ist bei ihnen. Er bringt ihnen selten Blumen mit und wenn, so nur violette, einen dünnen Strauß für beide. Man kann sagen, daß das alle eineinhalb Jahre geschieht. Noch seltener bringt er Ansteckblumen. Er geht nicht ungern zu ihnen. In dem Flur, der durch die verschiedenfarbigen Fenster dunkler wirkt, als er wirken müßte, ruft er sie mit lauter Stimme. Er umarmt sie, er erzählt, was der Vormittag gebracht hat. Er geht mit seinen Erzählungen nie weiter zurück. Er sagt: »Herr Meyers hat sich erkältet. Als er in der dritten Stunde über die Stoiker sprach, bekam er kaum Luft. Das war so.« Und er ahmt Herrn Meyers nach, der sich erkältet hat. Oder er sagt: »Anne hat aus Penzance geschrieben. Bin neugierig, wie lange sie es noch in dem Nest aushält. Der Brief steckte heute morgen in der Tür.« Anne ist seine Schwester. Dann sagt er wieder: »Die Stoiker sind schwer zu behalten. Sie liegen mir nicht.« Adolphe ist kein schlechter Unterhalter. Er nimmt zwischendurch seine Augengläser ab, reibt sie blank, kostet den Tee und bewundert ihn. Er hört auf Fragen. Er sagt, er könne sich gut vorstellen, daß man von Kopfschmerzen geplagt sei, halbseitigen vor allem, er könne es sich gerade heute gut vorstellen. Die Luft sei so heute, auch in den Klassenzimmern. Es hänge wirklich nicht unbedingt mit den feuchten Pelzmänteln im Flur zusammen, auch nicht mit der Nordostseite. Heute nachmittag werde er sich mit den Epikuräern befassen, er denke, er könne da mehr Zugang gewinnen, er könne auf diese Weise vielleicht sogar die Stoiker besser behalten. So bringt er den Nachmittag in die Unterhaltung. Der Nachmittag, sagt er, komme ihm immer wie eine Art Zweifel am Nachmittag vor, während der Vormittag ihm oft wie eine Art Glauben an den Vormittag erscheine. Das sei heute auch nicht anders. Man sieht, er nimmt seine Tanten ernst, er mutet der Unterhaltung mit ihnen einiges zu. Aber er treibt die Zumutung nicht zu weit. »Stoa«, sagt er plötzlich, dehnt das a übermäßig in die Länge und lacht. Er möchte wissen, wie es Anne in Penzance gehe, sagt er, mit den Vormittagen und den Nachmittagen. Anne sei blond und das ändere manches, könne Anschauungsfragen bis in ihr Gegenteil treiben. Und dann sei auch Penzance wirklich sehr westlich. Er sieht lächelnd auf die Nordostfenster im Erker. Nein, nicht einmal der Nachmittagssonne zuliebe dürfe man den Westen zu weit treiben, sagt er. Aber Anne werde schon wiederkommen. Ja, er vermute das. Penzance sei einfach eine Übertreibung. Sei übertrieben, sicher. Was Adolphe da sagt, klingt abschließend, aber als wollte er seine Tanten nicht erschrecken, nicht einmal mit der Vermutung eines zu raschen Aufbruchs beunruhigen, lehnt er sich zurück und knöpft zwei Knöpfe seiner Weste auf. Und er kommt auch gleich auf seine Vorliebe für Westen zu sprechen, einfarbige, mehrfarbige, helle und dunkle. Er hat eine Auswahl davon. Und er pflegt sie. Wer eine anständige Weste trage, könne sichs sogar leisten, ohne Schuhe zu gehen, sagt er. Aber es sei natürlich unbequem. Adolphe verstummt für einen Augenblick. Er hütet sich davor, gerade dieses Thema zu weit zu treiben. Er sagt es sogar. Jedes Thema habe seine Gefahren, sagt er. Ob sie nicht auch schon diese Erfahrung gemacht hätten? Das interessiere ihn ernstlich. Man könne ganz sicher auch Erfahrungen machen, ohne sie dafür zu halten. Das sei vielleicht die ökonomischere Art, Erfahrungen zu machen. Zu guter letzt profitieren die Philosophien davon, die man dann in der Schule vorgesetzt bekäme. Die gekürzten Fassungen. Die Interpreten. Herr Meyers. Adolphe wird etwas unruhig. Er scheint der Gefahr, die jedes Thema bedeutet, nicht rasch genug ausgewichen zu sein. Er nimmt noch Tee. Er beginnt, die Farben der Fensterrahmen zu loben. Abgeblättert oder nicht, sagt er, sie paßten. Gebe es nicht genügend Fensterrahmen, die beklemmend wirkten, kalt? Er habe das besonders bei Schiffsbesichtigungen beobachtet, Anne auch, damals als sie noch beisammen waren. Denn Anne sei jetzt natürlich schon sehr lange weg und wer weiß, was sie in Penzance für Fensterrahmen habe. Ja, das sei es. Nicht daß Anne sich nicht in jedem Rahmen gut ausnehme, darum gehe es nicht. Adolphe beginnt zu husten, bedankt sich dazwischen höflich für angebotene Hilfen, trinkt etwas Wasser, hustet stärker, nimmt ein Stück Zucker und bedankt sich wieder. Aber er sieht ärgerlich aus. Er springt auf, geht rasch ans Fenster, stützt sich etwas auf die Fensterbank und sieht hinaus. Man merkt es ihm an, daß er angestrengt hinaussieht. Es sei lächerlich mit diesem Husten, sagt er und wendet sich wieder ins Zimmer zurück, aber keine Sorge, es werde sich schon etwas dagegen tun lassen. Er dürfe eben nicht von Booten sprechen, Bootsbesichtigungen, vielleicht auch nicht von Penzance. Außerdem habe er zu Hause ganz gute Tropfen, auch ganz allgemein beruhigend. Adolphe ist jetzt wieder gefaßt. Menthol, sagt er, und am besten mit Milch. Ob man sich das vorstellen könne: Milch mit

Menthol? Ihn jedenfalls scheint diese Vorstellung nachsichtig zu stimmen. Er lächelt. Er setzt sich noch einmal nieder und bemerkt, daß Mädchen jetzt häufig Melissa genannt würden wie die eben geborene Schwester eines Freundes. Eine winzigkleine Melissa nach der anderen. Bei Knaben stehe eine solche einseitige Vorliebe noch aus. Aber die Sache sei schon ein Studium wert. Diese Sprünge von Namen zu Namen. Mit Schwerpunkten, ohne Schwerpunkte. Und dann gerade Melissa. Die Leute zerbrächen sich über ihre Namensvorlieben viel zu wenig den Kopf. Und das könnte doch aufschlußreich sein, vor Gefährdungen schützen. Man bekomme manchmal tollkühne Ängste, sagt er. Wie wenn ganz allgemein die Namensungleichheit verschwände? Unwahrscheinlich vom Standpunkt der Statistiker, aber doch höchst möglich. Wie Karnevalsgilden. Man hätte doch einmal vor Entstehung der Karnevalsgilden einen Statistiker fragen sollen, ob eine Möglichkeit ihrer Entstehung bestünde, ob es Denkweisen gäbe, die sowohl Sache als auch Bezeichnung begünstigten. Und zwar in einem. Was meinten sie, daß er gesagt hätte? Es gebe keine, hätte er gesagt. Er, Adolphe, habe nicht im Sinn, Statistiker zu werden. Um genauer zu sein: er hätte es daraus verbannt. Obwohl er sich darüber klar sei, daß sein Sinn unerwartet wieder umspringen könne. Hin zur Statistik. Wachstum oder Einschränkung, Verkümmerung, sagt Adolphe, natürlich sei es leicht, mit solchen Alternativen Zustimmung zu erregen wie mit der zugegebenen oder unzugegebenen Liebe zum Ganzen. Adolphe lacht jetzt, als wäre diese Liebe bei ihm kaum zu vermuten, er lacht widerwillig, es ist eine Art von übereiltem Lächeln und er hat es eilig. Er hat es nicht gern eilig, es geht deutlich gegen seine Natur. Adolphe möchte gezeichnet werden, und er ist sich darüber klar, daß die Eile und das Lächeln dem gezeichneten Porträt Schaden zufügen können. Adolphe hat seine Vorstellungen von gezeichneten Porträts und er hält sie nicht nur für die seinen. Er sah einmal eine Zeichnung von einem, der eine Kerze ausblies, sie war mißglückt. Wer Lichter löscht, hat es eilig, er hat es sogar sehr eilig. Der blinde Eifer hat es mit dem Eifer zu erblinden zu tun. Nein, Adolphe weiß sehr gut, daß er es nicht eilig haben sollte. Einmal wird er gerade hier bei seinen Tanten den treffen, der ihn festhält. Der es nicht lassen kann, zu stricheln, während er ihn betrachtet, ihn, Adolphe, mit ausgestreckten Beinen oder lächelnd am Fenster. Bei den Erzählungen über Herrn Meyers und die Philosophie. Über Melissenvornamen und Milch mit Menthol. Und so fort und so fort. Das müßte alles darauf zu ersehen sein. Ein Blinzeln, das sich nicht nötig hat. Der ganze Anspruch, aber die nicht, denen davon die Hölle heiß wird. Die nicht, die nicht in Frage kommen. Keine Stiftergestalten, auch nicht ganz unten, auch nicht unter dem Rahmen verborgen, sobald es zum Rahmen kommt. Ja, ja, so müßte es sein. So wird es auch sein. Adolphe fühlt sich plötzlich ermüdet, verbirgt ein Gähnen. Er möchte wieder von Anne und Penzance beginnen, aber er wird es nicht tun. Seine Schwester Anne soll aus dem Spiel bleiben, wenn das Spiel müde wird. Er ist ärgerlich. Es war schon immer so. Es ist immer so. Es ist immer der Gedanke an sein eigenes Bild, der das Ende einleitet. An das Bleistiftgestrichel, das ihm gewachsen sein soll. Er nimmt einen Likör. Und noch einen. Er weidet sich an dem verzweifelten Geschmack, der ihn forttreiben wird. Seine Vormittagsgeschichten sind überdeckt, seine Nachmittagsgeschichten auch. Der gute Tee. Er verabschiedet sich von seinen Tanten. Er sagt nicht, daß er wiederkommen wird, das sagt er nie. Hingegen sagt er und bemüht sich, seine Hast zu verbergen, er hoffe, daß sie noch einen hübschen Nachmittag hätten. Sicher im Garten oder vielleicht doch lieber drinnen. Er hoffe ernstlich, er wäre nicht zu lange geblieben. Aber die Fensterrahmen könne er nicht genug loben, wirklich nicht. Er wünschte, er fände überall, wo er hinkäme, solche Fensterrahmen. Die seien tatsächlich eine Lebenshilfe. Könnten einem vor allem möglichen bewahren. Er lacht. Tatsächlich. Das Unterschätzte sei jedenfalls ein Thema. Er werde versuchen, es in die Lehrfächer zu mengen. Möglichst unmerkbar natürlich. Er lacht wieder. Hatte er nicht noch etwas? Nein, natürlich nicht, das seien ja die Blumen, die er mitgebracht habe und die blieben hier. Es sei wirklich fast jedesmal dasselbe. Fast jedesmal denke er, er hätte vergessen, was er mitgebracht habe. Er sei unmöglich. Und er lacht noch einmal. Er kann jetzt ruhig lachen, verzerrt, glucksend, grimassierend. Der ihn festhalten sollte, der Strichler, ist nicht gekommen. Und er kommt auch nicht mehr. Es war wieder vergebens.

Ambros

Ambros steigt unter die Stufen. Bemüht sich, die Stufen mit einem Hammer festzunageln, eine davon war locker. Er hämmert, hat das Gesicht erhoben, kein Freund stört ihn, fragt ihn, woher er kommt, wohin er zu gehen beabsichtigt. Seine Freunde sind alle unter die Erde gefahren, es soll dort ein Fest sein, aber er ging nicht mit. Es ist ein feuchter Tag und von dort unten ist erst einer zurückgekommen. Er ging vorbei, warf einen Blick über den Zaun und rief, es hätte sich nicht gelohnt außer zu Beginn. Und wegen eines Beginns unter die Erde zu fahren, lohne sich erst recht nicht, das Heraufkommen sei noch mühsamer als das Hinunterfahren. Wenn er es richtig bedenke, sei es auch der Beginn, soviel rief er und entfernte sich rasch. Wenn ich es richtig bedenke, denkt Ambros. Soviel und nicht weiter. Wenn ich es richtig bedenke. Und noch einmal. Aber nie weiter. Wenn er es richtig bedenkt. Er hat drei Nägel zwischen den Zähnen und hämmert. Manchmal klingt es, als schlüge er auf Erde. Auf die, von der sie reden. Oder unter der sie reden. Nach einer Weise oder nach der andern, eine ist es immer. Immer die, die er sich müht zu verstehen, wenn er sie nicht versteht, und nicht zu verstehen, wenn er sie verstanden hat. Wie ihre Tänze. Alles am Rand der Gewalt. Nicht einschüchtern lassen, hat ihm einer gesagt, welcher nur? Der sich nicht erinnert, hat die Wahl. Der ist gut, der die Wahl hat, der liebt keinen mehr. Keinen mehr als den andern, ein Gerechter. Wer sagt das von ihm? Das soll einer versuchen. Einer von den Aufrechten mit den Lunten zwischen den Zähnen. Kommt keiner mehr vom Fest? Das müßte jetzt allmählich am Ende sein. Macht sieben mal fünf. Macht drei, dazu die Auffahrt. Die Hinauffahrt. Umsonst ist die nicht für euch, was meint ihr, wie ihr die mit Kippen beladet, unter

Druck setzt, alles mögliche. Mit euren Affengewichten, he du! Ja, dich hab ich gemeint. Und dich. Dich auch. Da soll doch einer, auch noch die Überraschten spielen. Bei uns ist Feierabend, da lohnt sich heute nichts mehr. Die dachten wohl, die könnten hier sitzen bleiben. Das wären mir Denker, o ja, das sind mir welche. Und wo habt ihr den Kleinen von unlängst gelassen? Der kommt nicht wieder? Hatte wohl genug von euch, was tut er? Hämmern? Hämmern, da oben. Der ist gut, der Kleine. Der hämmert, das soll er nur. Und wenn er müde wird, wohin legt er sich dann? Ins eigene Treppenhaus unter die Stufen wie die Söhne im Märchen? Ambros möchte hinaus aus dem Treppenhaus, dem Vorhof, dem Vorgarten, an Vater und Mutter vorbei den andern entgegen, die stumm gemacht werden sollen. Er möchte rufen: Kommt! Kommt alle zugleich, steckt endlich eure Köpfe über den Sand, ruft mich zusammen! Das werden sie auch, sie werden kommen, er weiß es. Dieses Fest muß ein Ende haben, weil es kein Fest ist. Nur eine Marotte, in die sie sich hineinsteigern, er will es ihnen sagen. Wie Löwen und Wilde will er sie auffordern: Kommt. Laßt euch nicht seichte Stellen in eure Schreie schieben, die sind nicht von euch, ihr wißt es. Der nette Kleine mit dem Zebrahut, der bin ich nicht und der ist keiner von euch. Keine Bank da unten ist für euch gemacht. Es sind Materialbänke, Materialtische und der Wein ist auch fürs Material, Böden, Wände, Türen, Decken, Fenster und Fensterbänke. Damit das Material ins Freie schauen kann, damit sein Blick richtig zurückgeworfen wird, quer durch, das Bild nicht auf dem Kopf, auf dem es steht, das erdige Freie da unten, das vorgetäuschte Licht, die Biergärten mit den Schächten hinauf. Laßt euch nicht übertölpeln, gebt den Anspruch nicht auf!

Hier oben ist es anders. Hier blitzt es weiß und silbrig, hier müßt ihr eure Nägel nicht mehr aus den Zähnen nehmen, für keine Silbe mehr, die ihr nicht wollt. Hier seid ihr freigegeben, könnt Stufen hämmern, so wie ich es tue, oder sonst etwas, alles mit Nägeln. Das wird gut für euch. Der Himmel ist hier echt, nicht die gekräuselte, gescherte Wolle von da unten, laßt euch auf nichts ein, die Nägel sind auch gut und mehr sage ich nicht.

Ob die kommen? Ob sie sich nicht von den frischen Heiden da unten abhalten lassen, diesem heuchlerischen Farbengemisch, ihrer vorgetäuschten Jugend? Ob sie nicht aufgeben angesichts der Späße, die die Schankwirte dort für sie bereithalten, der Pfennige, die für die Auffahrt verlangt werden? Das ist alles die Frage. Ambros. Und wie heißt dann der nächste? Geht es nach Noten, nach den Sechzehnteln, Vierteln, Achteln, nach dem Viererprinzip oder wonach? Wonach geht es? Ob sie ihn hämmern hören? Er möchte die erdigen Laute – längst klingt nichts mehr nach Holz – so wild wie still machen. Zu Zeichen machen. Nichts preisgeben, hört ihr, alles für euch behalten. Aber die Stufen sind bald fest, sein Elternhaus ist dann intakt, er kann dann keinen Laut mehr von sich geben. Wenn alles seine Ordnung hat, wird er nicht mehr gehört. Dann qualmt es, rauscht es, schnarrt es, dann hämmert es nicht mehr.

Dover

Wult wäre besser als Welt. Weniger brauchbar, weniger geschickt. Arde wäre besser als Erde. Aber jetzt ist es so. Normandie heißt Normandie und nicht anders. Das Übrige auch. Alles ist eingestellt. Aufeinander, wie man sagt. Und wie man auch sieht. Und wie man auch nicht sieht. Nur Dover ist nicht zu verbessern. Dover heißt so wie es ist. Von diesem, wie viele sagen, unbeträchtlichen Ort sind alle Bezeichnungen und das, was sie bezeichnen, leicht aus den Angeln zu heben. Delft, Hindustan, auch beyond. Obwohl beyond kein Ort ist. Oder wahrscheinlich keiner ist. Aber Dover, beharrlich und sehr am Rand, nützt seine Macht nicht. Das eben ist sein Gütezeichen. Wer dort umsteigt, sieht sich flüchtig um und bemerkt nichts. Dover, unbestechlich und still zwischen Fallstricken und Ungenauigkeiten, macht nicht viel von sich reden. Kreidekliffs und ein oder zwei Schlaflieder aus ein oder zwei Kriegen: man kann die Bescheidenheit nicht weiter treiben. In Dover zugrunde zu gehen ist fast so leicht wie in Kalkutta mit seiner Pest und seinem schlecht erfundenen Namen, seinem heißen Rauch. Man kann in Dover gebückt gehen lernen, toben lernen, hüpfen lernen wie überall. Aber nur von Dover aus bleibt es dem, der es beherrscht, ohne Anspruch klar. Er kann später umziehen, Karussells betreiben, Schreibstuben einrichten – was er in Dover aufgeschnappt hat, geht ihm nicht verloren, was er in Dover geworden ist, ein Gebückter, ein Wüterich, ein Clown, macht ihn unschlagbar. Annie zum Beispiel, die in Dover nur das Sabbern gelernt hat, weil sie früh fortkam, beherrschte es noch in Denver, wo sie mit neunzig im Irrenhaus landete, in einem Maß, das die Pfleger vor Neid und zorniger Bewunderung beim Umbetten zittern ließ. Und noch während sie zitterten, merkten sie, daß ihr Zittern nur mit seiner glanzlosen Bezeichnung übereinstimmte und nicht mit dem, was es war. Keiner von ihnen hatte es in Dover gelernt. Immerhin bekamen sie eine Ahnung. So verbreitet Dover die genauen Ahnungen. Weder Luft noch Wasser kann es daran hindern, die Erde schon gar nicht. Und auch nicht seine eigene Kreide. Dover kann sich auf Stimmungen einlassen, ohne daß sie ihm schaden. Auf kleine weiße Gitterbetten. Mit Jonnys darinnen, mit rotbäckigen Marys, Dawns, Deans. Mit allem, was auf beyond angelegt ist. Sogar auf Farben im allgemeinen, so wenige es sind. Aber Dover verbreitet keine Farbenlehre, kein Wissen. Die Pfleger in Denver werden nie erfahren, was sie zittern ließ. Die wenigen Seeleute, die in Dover aufgelaufen sind, wissen nicht, womit sie, wenn sie das nächste Mal an entfernteren und wahrscheinlicheren Orten stranden, die verzweifelte Bewunderung ihrer Gefährten verdienen.

Wer an einem trüben Sonntag gern mit Marlowe schwätzen, Wilde auf die Leier treten oder sich ein Haus im Tudorstil zeichnen möchte, eins zu eins, sollte sofort Dover ins Auge fassen. Er wird dort Marlowe nicht treffen, die Leier von Wilde nicht auffinden, den Tudorstil bald für unerheblich halten. Er wird seine Wünsche rasch und genau zusammenfassen, er wird mit Kieseln spielen wollen, er wird sich einen Kieselspielplatz einrichten, ziemlich hoch oben, nahe den Kliffs, er wird lange brauchen, aber er wird es wie kein anderer lernen, mit Kieseln zu spielen, ihnen mit Fingern und Füßen beizukommen, sie zu bändigen. Er wird der Kieselspieler werden, von dem die Welt spricht. Früher als Annie in Denver wird er unschlagbar sein. Dover hat seine Wünsche zu sich gebracht, Dover wird sie zu sich gebracht haben, sagen wir. Oder zur Ruhe. Kiesel zu Kiesel. Seht ihn dort oben, wie er sich zu ihnen bückt. Zärtlich wie kein anderer. Er hat recht.

Außerdem weiß jedermann, daß man in Kreideläden die Welt kennenlernt. Das ist nebenbei gesprochen, aber auch das Nebenbeisprechen will gelernt sein. Und wer es nicht in Dover gelernt hat, wird es schwer damit haben. Er wird trotz aller Bemühungen immer wieder ins Hauptsächliche zurückfallen und es wird ihn bedrücken. Dann trifft er den, der in Dover auf der Klippschule eine Rede auf König Artus' Tafelrunde halten sollte und es nicht zustande brachte, der nie mehr aufgerufen wurde und deshalb nebenbei zu reden begann. Über Zwischenräume, Mützenkordel, uninteressantes Zeug. Der schlägt ihn für immer. Aber sie lassen sich aufeinander ein, wenigstens etwas. Dover bleibt im Spiel.

Weshalb betrachten wir unsere Augenblicke, wenn nicht in Dover? Weshalb schätzen wir sie hoch oder gering ein, lassen sie uns stehlen oder nicht? Und wie? Wie bestehst du einen Augenblick, der noch vor dir liegt und doch schon ein für allemal verloren ist? Von den gewonnenen, die hinter uns liegen, wollen wir schweigen. Wie verlernen wir es, unlängst und später zu sagen, eben noch und gleich? Wie, wenn nicht hier? Alles in Dover. Dover kennt die Vielfalt der Disziplinen, die den Augenblicken dienen. In der bewegten Luft über den Kliffs schwanken wachsend die Fakultäten, die Vorder- und Hintereingänge, Türme und Flachbauten, Camps, Verstecke, Fluchtmöglichkeiten. Hier kann man seine Träume ein- und ausschulen und in eigens dafür neugegrabenen Brunnen untergehen lassen. Hier ist man sich darüber klar, daß was attackiert wird, immer der Augenblick ist. Die Bezüge zwischen Krummgehen, Schiefgehen und Geradegehen sind hier richtig gesetzt. Willst du mehr?

Nein, nein, es soll kein drittes Schlaflied auf Dover werden.

Das war immer schon ein Weg zu den Hekatomben, und die Hekatomben läßt Dover aus. Es setzt auf geringe Mengen, auf die geringsten, auf die raschen Entwertungen.

Und wie ist es mit den Freundschaften, die in Dover geschlossen werden? Halten sie stand oder verflüchtigen sie sich angesichts der bekannten Meßbarkeiten? Es ist so oder so. Dover setzt nicht auf Freundschaften. Es hat seine Sabberer, seine Seilspringer, seine Kieselspieler und selten strandenden Crews. So oder so ist es mit den Freundschaften in Dover, das muß man in Kauf nehmen. Und wenn es so oder so ist, so wird Dover für uns bitten: Denver, Trouville und Bilbao. Es wird die Orte der Welt für uns bitten mit seinen leichten Blicken. Es wird das Irrenhaus von Privas im Auge behalten und die anderen Irrenhäuser auch. Es wird nicht auslassen, was sich mit ihm nicht messen kann, es wird seine Schwächen zu Hilfe nehmen und seine Schwäche. Es wird auch die Industrie nicht vergessen, den Fleiß, die Einfalt und daß alles bald aus ist. Es wird die mißratene Verzweiflung nicht beiseite schieben, die unsere ist. Dover nicht.

Privas

Privas ist ein Schwitzkasten, eine Anstalt für tollwütige Lieblinge, sagen wir, ab vier. Kommen Sie ihnen nicht zu nah, Fräulein, den zahmen Kleinen mit dem süßen Schaum vor sich. Sie sind nicht von hier, wirklich, Sie sollten deshalb lieber in die Gewerbeschule mit ihren laufenden Ausstellungen gehen, Spinngerät, Fluggerät, doppeltes Gehgerät, dort wechseln die Ausstellungen wie die ferneren Blitze, die es nicht aufgeben wollen, dort ist immer ein Portier, eine Schranke, die Sie vor der Tollwut schützt, es sei denn, Sie hätten sie schon. Das wäre aber dann ganz allein Ihre Schuld. Sie haben dann sehr wahrscheinlich einen von den kleinen Tollen um den Schaum herum gekrault, haben Ihr kümmerliches Mitleid an die Falschen gewendet, an die Verlorenen. Sie haben die einfachsten Dinge vergessen, schade, Fräulein, es wäre gerade eine so hübsche Krückenausstellung, selbstgeschnitzte Krücken und weiter oben dann die Stickereigeräte, die Netzflickermethoden an Beispielen, das alles wäre genau das Richtige für Sie gewesen, aber Sie kommen nicht hinein, Ihnen hängt ja die ganze Tollwütigenhorde am Rocksaum. Wären Sie früher gekommen, so hätte ichs Ihnen erklären können: man hilft, wem zu helfen ist. Und wem nicht zu helfen ist, dem hilft man nicht. Scheuchen Sie wenigstens die Biester aus dem Flur und von den Kleiderständern weg. Aus Ihnen wird nichts mehr, Fräulein, Ihre Zukunft läßt sich leicht an den schaumverklebten Kleiderständern ablesen, die liegt fest. Klebt fest, haha. Aber mit etwas Lauge kriegen wir sie auch wieder hin. Fort nämlich. Wenn Sie erst fort sind. Na, rühren Sie sich doch, wird denn nichts bald? Wir sinds gewohnt, daß hier alles bälder wird als woanders. Deshalb sind wir ja hier. Hier in Privas. Na also, jetzt rühren Sie sich endlich. Aber nicht so, Sie verhängen sich ja, Ihre Rockfalten sind auch schon tollwütig, Sie müssen mit der Koppel leben lernen, andere Bewegungen, geschicktere Schachzüge, Sie habens nur sich selbst zu verdanken.

Was hat Sie denn auf die Idee gebracht? Privas ist ausgefallen. Und noch dazu an einem Tag, wo der Wärter die Tollwütigenanstalt offenließ? Was wars, der Mangel an Auswahl, der falsche Ausschnitt auf Ihrer kleinen Landkarte oder ein verlorener Bruder? Was hat Sie denn in Ihrem Kinderfuhrwerk hierhergetrieben? Vielleicht sind Sie auch eine Herzogin und haben Ansprüche. Das weiß man nie. Wenn Sie erst draußen sind, wenn Sie sich mit Ihrer verdammten Koppel durch die Tür gedreht haben, werde ich Ihnen zu dem Kegelberg mit den Störsendern raten. Da läuft ein heißer Weg hinauf. Den zarteren von Ihren kleinen Kläffern bleibt dort leicht der Schaum mit dem Atem weg. Und den kräftigeren, diesen verqueren Warumheulern, werden die Störsender im Weg sein. Die ticken nämlich. Und wenn Sie dann mit Ihrem Handarbeitskörbchen endlich allein sind, auf der Kuppe sind, mit höchstens zwei Kadavern an Ihren hübschen gemusterten Rocksäumen, dann sehen Sie sich Privas an: wie es da liegt, gerupft und aufgeplustert, ausgeschlachtet und eingedämmt, nein, nicht die Gestüte, übrigen Viehverwertungsanstalten und auch nicht die Sammelplätze für Kastanien, mit denen es sich rühmt. Privas, einfach Privas. Woher nimmt es sich? Wer hat es hergehetzt? Und ließ es dann liegen mit seinen erfreulichen und unerfreulichen Bezügen zum Ganzen, die alle nicht reichen? Mit seinen zu frühen Lügengeschichten und seinen zu späten Wahrheiten? Kein Karren hier, um es weiterzuschleppen? Oder meinen Sie Ihr kleines Fuhrwerk, Fräulein? Da müßten Sie aber weit genug davon weggehen, damit Privas so klein wird, daß

Sie es auflesen können. Ja, vielleicht ist der Kegelberg das Richtige. Vielleicht klappt es von dort mit einer Menge Häkelschnüre und nachdem Sie sich die tollen Kläffer vom Rock geschnitten haben. Dann laden Sie es auf Ihren guten kleinen Karren und zerren es auf der anderen Seite, wo auch Störsender sind, wieder hinunter. Und singen. Sie haben Privas auf dem Karren und das wollten Sie doch? Privas, nichts anderes, ich sehe es Ihnen an, Sie können das schlecht verbergen, Ihre Ohren brennen davon. Hinten auf dem Karren rütteln dann die Bildungsanstalten und die Kastanien, wohin wollen Sie es dann bringen, Fräulein? Es ist windig.

Vielleicht an die Küste, dort bläst es Ihnen rasch alles vom Karren. Oder an die Brandstellen, die noch hoch genug sind, dort kann nachher keiner danach tauchen. Aber ob Sie landeinwärts oder landauswärts rattern, Sie werden schon wissen, wohin damit, Sie schon. Mit den Tränen um die versackten Kläffer im Gesicht, Sie kenne ich. Sie haben sichs ja geschworen, daß das was vorbei ist, gerade erst kommt, stimmts? Sie und Ihre Schwüre, Fräulein. Dafür ist Ihnen keine Landkarte klein genug, keine Brand- und Absaufkarte, kein Höhlengelächter. Privas wird vergehen, weil es Ihnen kostbar ist, weshalb, weiß niemand. Damit rücken Sie doch nicht heraus. Während die Lehrer in den Bildungsanstalten auf Ihrem Karren vom Donnern der Kastanien aus der Fassung gebracht werden, kümmert Sie das auch nicht? Das ganze Konzept? Das verschüttete Vieh an den Wegrändern, das keiner mehr braten kann, die unbenützten Kuhhäute? Aus Ihrem Karren tropft die Milch, meine Liebe, und Sie merken es auch. Die Milch von Privas. Aber Milch war nie ein Gegenstand für Sie, war noch nie zu erörtern mit Ihnen, geben Sie es zu?

Ich möchte nur wissen, was Sie dann singen, das kürzere oder längere Wegstück lang, das noch vor Ihnen und Privas liegt, denn irgendwas singen Sie doch. Die Lehrer auf dem Karren hinter Ihnen rütteln nicht mehr, die Portiers, Zaunwärter, Schafkoppelpächter von Privas sind still geworden, es liegt jetzt an Ihnen. Ich sehe Sie schon vor mir, dünn und spitz, die zerfransten Häkelschnüre um die Mitte. Vielleicht pfeifen Sie auch. Aber das Lied kann ich mir nicht denken. »Bruder Jakob« paßt schlecht und das Lied vom kleinen Schotten paßt gar nicht. Aber Ihnen fällt dann schon was ein.

Der Kegelberg mit den Störsendern liegt weit hinter Ihnen, der Schaum auf Ihren Rocksäumen ist abgetrocknet, um Privas auf Ihrem Karren beneidet Sie keiner mehr. Die schönen Stücke im Gewerbemuseum sind zerbrochen, durcheinandergeraten, die Krückstöcke zu den Stickrahmen und alles voller Kastanien, nichts mehr zu verschenken. Privas gehört jetzt Ihnen, die Küsten sind nicht mehr weit, die Brandstellen auch nicht. Aber wie werden Sies machen? Stoßen Sie den Karren nur hinein oder springen Sie mit, binden Sie sich vorher los von Privas oder nicht? Ich frage nur, Sie müssen nichts darauf sagen, Sie müssen mir nicht antworten, Sie können es gar nicht.

Albany

Raving mad, wie das schon endet, das Ende ist eine Wiese, das sind Wiesen, aus den Kommoden gezogen, wieder eingerollt, gibt acht auf die Geldscheinspitzen, gib acht, gib acht, nicht drankommen, nicht einmal ankommen, ach, nein acht, ach nein, es waren acht, als wir ankamen, und die vielen schweren Vallisen, Valeurs, alles so rasch, ja, ja, ja, ja, ein Kanon war ausgeschrieben, das weiß ich noch, auf den Schalttafeln, das weiß ich auch noch, oder bei den Buspreislisten, das weiß ich auch noch, ich auch, nein mich, mir auch, ein junges Fräulein schüttete eine Schüssel Kraken auf uns, mich auch, auf mir blieben sie liegen, den Mantelärmeln, darauf, alles nicht ohne Absicht, gut, daß sie die Schüssel behielt, mit den Händen, das wäre sonst was gewesen.

Eben. Und dann sind wir weitergezogen, da sind wir, war es, das war es, das habe ich gesagt und nichts ohne Absicht wie eben nichts, ganz ohne niemals, Tina sollte mir den Rücken kratzen, aber sie tats nicht, sie tat es nicht, sonst auch niemand, natürlich auch schon wieder gar nicht, niemand wie ichs sage, es sage, ja, gut so, sagte ich es nicht und damit bleiben wir, sind eben alle dabei, durch hier durch, durch, Gelbsucht mußten wir auch noch bekommen, als ob es nicht reichte, nur Auguste bekam sie nicht, anders und auch sonst, sie bekam sie nicht, aber wir, wir alle, natürlich außer ihr, sie, außer sie hätte, hätte, hätte, hätte es, aber nein. Sie bekam sie nicht, wie das aussah, Verbindungen überallhin, der Ausdruck, ein Los auf dem bloßen Lehm, Masten, Masken, nein Masten, doch Masten, Maste, Lose zum Schweinefüttern, Prasserei, wie haben sie es dort, wie sind diese Quäkerorte, nein die, nicht die andern, sondern anderswie, wo wie zu Martini, schön zu sehen, Vater, hübsch, Sie, aber wie haben wirs, den Koffer trennen wir gemeinsam, den Weg dann, alles das Gleiche, beim siebenunddreißigmalsovielten, letztes Hockey, drei Favoriten hat mein Bruder Georg gewonnen und sonst auch, Mutter bäckt Ihnen geeiste Cellerie, das Gelée, Kapellengelée ist auch fertig, schon auch schon, geben Sie acht beim Wasserstand, große Wasserstände hier, ist mehr geworden, jetzt kreisen wir schon eine unendliche Weile, aber wie geht es denn dort, das kann ich mir nicht ausdenken, nein, nein, ich nicht, ich bestimmt nicht, kann sich doch nicht wehren, wenn die Sonne schiefgeht, Georg ist jetzt beim Heer. Aber Hermann, dem haben sie den guten Verlauf in Frage gestellt und Gewürzkisten, zu schwere Gewürzkisten für den Jungen, sollte lieber wohin die Astronomie begleichen, wäre das beste für ihn, der war nirgends kräftig, jetzt sind wir beim Stil, eine Rohrpost, Mutter, oder lieber nicht, laß sie liegen, wenn du nicht willst, die nicht.

Mastbienen hat er sich ausgedacht, das war der kleinere, die bleiben aus, die krachen aus dem Weg, hüpfen nur so die Kabel hoch, Glück die Isolierungen, wirklich, die sausen herauf und paff auf den Hut, alle schon weggewesen und wieder da sogar, die saugen sich fest und plitz, hast du nicht gesehen, Hermann war immer lustig und lustig war er nie, der ist jetzt soweit, der kommt noch, das auch, aber nicht alle, er steigt auch ganz ohne Mast, ist besonnener als der große, eingespielter, der merkt uns gleich, die Mastbienen allein, die Restfrage und all das, man erleichtert es sich eben beim soundsovielten und dabei bleibts, so ist es, das, das soll das, Ideen, Ideen und das sagt man ja auch.

Dabei ist es Tina nicht schlecht gegangen, wollen wir einmal sagen, total, das heißt es, die Mädchen haben ihre Art weg, Auguste auch, aber wir, wir nicht einmal, alles da, wir stauben nur so auf Kurs gebracht, aber wer, wer hat das getan, wer hat ihn, den alten Kasten dahingebracht, so hingerichtet, das möchte ich wissen, wer denn? Die Löcher zwischen die Masten und Flügel hinein, wer war das, soll es melden, sich und dann ganz einfach, komm an die Tafel, Junge, beweise uns, daß Wurzeln saftig sind, daß man sie ziehen kann aus den gewohnten Wiesen, man zieht einfach und zieht und da, da, hast du nicht, zwanzig Meilen vom Zentrum, wir tauschen nicht, nein, nein, wir bleiben auf dem Ansatz, auf dem von uns gelobten Flecken, Vater zieht Möhren, eure Mutter dörrt sie dann im Ausguß, wer fertig ist, der fährt ins Rathaus und holt sich seinen Teil, Auguste, wenn sie die erste ist, so ist sies, wenns Tina ist, ists Tina, war immer, der Fußpfad ist historisch und die Fahrbahn auch, war immer schon so, um Punkt um, Rabatt erst dann, wenn eine halbe Stunde voll ist, zu jeder vollen halben, malt euch das aus, sowie euch euer Mut läßt, eure frischen Sinne, gesiebt und zweifach, auch zugeteilt vom lieben Himmel, von diesem, meinem, mir, mich, euer, das geht und glatt und geht, war leicht zu greifen jetzt.

Aber jetzt? Spinnig, das kann man wohl, gespinstrig, aber wir bleiben doch, he, hier, hier, hier, das klingt als wäre es fort und vorbei, fortbei, fortüber, geh fort geblieben, aber wir bleiben. Haken uns ein, das Plätzchen hilft uns heim, rollt und verheißt uns, streunt uns nach innen, daß kein Korn verloren geht, plättet und glatt, ist so geheißen, wurde, und mit den Imbißstätten, klar, das geht, aber nicht anders, eingeklammert von den großen Nummern, das soll doch, die sind groß, sind wirklich groß und eingefunden, keine fehlt, und leise, zum zu bewundern, bewundert rasch so eine leise Elf, den Elfer, Elver, Elwer, den leisen Elwer, zugewandert, klar und keiner merkts, lehnt lässig an dem Viehzaun, der bewacht uns, wie findet er den Morgen, wie finden Sie den Morgen, noch nicht, wie findet Ihr den Morgen, er den Morgen, Euer Ehren, der Bengel schaut auf uns, kein Frühstückstee, verbrannten Brode, Bröter, keine Gewähr.

Die andern halten sich so ähnlich, wollen sich vielleicht noch zu Lotsen machen, Stadtlotsen, städtischen Gebäudezubringern, Wiesenerschließern und Erschließerinnen, wie wär es mit der Tausend, nein, keine Wahl, die finden sich am Ende leicht zurecht, halten zur Graden, zur Geraden, gerade Kerle, wer wäre nicht für sie, sobald sie nur für ihn sind, hielte sie nicht gut, behielte nicht, was sie ihm in die Augen schreien, götter- und gottgefällig, gute Jungen.

Der Morgen heißt uns gehen, er heißt, heißt, heißt solang, bis er vorbei ist, bedankt und abgelaufen, leicht aus den Affairs gezogen, re, ren, rens, alles da, allens, der gute Morgen, so leicht imstand, Trompetenstöße über Land zu hauchen, schade und Schaden, eine solche Menge Schadens bisher, Schaden, man sieht ihn nicht leicht ab, die Mode bleibt und ist nicht abzuhalten mit Lampentricks oder so ähnlich, zieht nicht, bleibt, nimmt, ja nehmt den Hund mit, großväterlicherseits, die Linie, die dort endet, hochgradig, edel und nicht abzubiegen, der kriegt nichts ab, der wird getrimmt, auf Linie gehalten, öder Morgen, ja, ein öder, kriegte nichts, aber vielleicht ein paar Nadelöhre, Öhrs, leicht zu durchwandern, eingängig, Einziehnadelöhrs, die ganz besonders, der Kurs liegt frei und schwankt auf allen Böden, Lagern, ein Roßhaarkurs, aber vom Fohlen genommen, her- und abgeleitet, ab, jetzt lauf mein Pferdchen, das ist regulär, wir laufen jetzt und biegen uns am Ende, schwingen ein, sagt die Statute, soviel ist recht.

Isaak ist auch gegangen, laß uns jetzt rechnen, Auguste, Tina, Isaak und der Kleine, macht drei und eins, das kann gevierteilt werden, auf soviel Arten als es Vieren gibt, schräg und gerade, vom Hut bis zu den Ärmeln oder anders, leuchtend, glatt, grob oder niemals, soviel ist gängig, die letzte aber doppelt, ist fast zur Sitte, kann schon zu rechnen, kann sie schon rechnen, Auguste, Tina auch, bei Isaak ist es anders, aber der Kleine, der holt leicht auf, ist bisher schwächlich, aber das wollen wir ihm gönnen, wir ihm und auch den Weg, der hat ein halbes Milchbrot mit, auf dem Weg, dabei, der kommt auch durch, ein Einlöser und von Natur, das glückt nicht jedem, ja, nein, nein, das wundert einen und durchwegs, nichts als eine Schnitte, von der Früh auf nichts zu trinken, der wollte nichts, hat sich schon abgerechnet, rechnen kann er, voraus und einfach, beides, streng und beiläufig, geheim, auch offen, ganz publik, braucht die voraufgegangenen Lieben im voraus auf, der sachte Krösus, vierfach hält schon besser, wer ihn fragt, lernts vom Grab auf, zieht die Bilder, und kommt auch unaufmerksam rasch voran.

Jetzt Achtung, Isaak meint, es wäre jetzt genug, die Mädchen folgen, Auguste erschlägt drei Tränen mit der Klappe, Tina weint und dann gehts los, jetzt wollen wir so unter wie auch auf, die Sonne drängt, der Trick ist alt geworden, los jetzt, laßt euch verlaufen, der Efeu ist vergiftet, beherzte Töchter, die Valuta echt, von Zweifeln frisch gereinigt, die Augen sind noch mit den Blicken eins, gebündelt, die Witterung ist richtig, das Bouquet stimmt. Uns nichts und euch nichts, hinter uns bleibt liegen, was unvergänglich war, man verläßt es somit, richtig, brandmarkts zu einer kleineren Kolonne, versäufts, vergreift es samt den Rändern, läßt seine Luken verhärten und unbehelligt, die Erhebungen vergehen, die Gründe eingerüstet, links heißt von nun ab vorwärts, rechts auch, seewärts, fest landwärts, zur Teezeit und zur Nacht, wir lassen, wo wir sind, wo wars, wo ist es, dreht sich noch eine Weile im Flachen, spinnt aus, treibt sich drei Kürzel lang herum und dann stellt das Exempel, die Probe auf Skalp und Zehenspitzen, fragt frei, wo ists, wo war es, laßt sie tanzen, trompetet aus den Dschungeln, Zoll- und Vermessungsämtern, aus den Lehnstühlen eurer verlotterten Idole, fragt, fragt nur, keiner wird euch weisen, keiner die Richtung aus den verfilzten Wegen wickeln, kratz mir einmal noch den Rücken, Tina, aber dann gehts los, dann fragst du, fragt ihr, frag auch mein Jüngster, Hermann, nicht welche, welcher, nicht was, warum, wozu und nicht einmal wieviel, dann fragt ihr mit den neuen Stimmen eins, ich will es euch nicht sagen, watet nur voran, die Felder ab und ehe sie euch nicht von den Lippen springt, wißt ihr sie nicht, ehe sie nicht genannt ist, aus- und abgesagt für nie, für eure flügellosen Junge, Jungen, für euer ganzes Fortsein, eure klapperdürre, wegarme Verwegenheit, wie heißt die Frage? Nein, nicht Albany.

Die Vergeßlichkeit von St. Ives

Sie ist dort groß, bewegt sich in unverkennbaren ovalen Nebelfeldern sacht auf und ab. Diese Felder bleiben sinkend und steigend doch immer waagrecht, zu schiefen Ebenen kommt es nicht. Es wird angedeutet, daß die Erde hier fast noch eine Scheibe ist oder doch zumindest gleichgültig gegen ihre Form, zustandslos oder nicht. Die Vergeßlichkeit von St. Ives nimmt keine Rücksicht auf Ungerechtigkeiten, die Ertrunkenen werden hier auch gefeiert, aber nicht lang und nicht alle. Der Junge aus L. wartet vergebens. Seine Schwester hat sich eines Tages zu weit hinausgewagt. Den Tag vorher hatte sie schon ein ungeheuer farbiges Kleid getragen. Seien wir froh, daß wir alle weiß und aus St. Ives sind. Das ist wahr. Sie hätte auch froh sein müssen. Wird es ein Fest für sie geben? Vielleicht nicht. Sie war zu wenig froh. Der Junge aus L. wartet aber noch eine Weile. Manchmal war sie doch froh. Damals zum Beispiel, als sie beim großen Dinner servierte. Sie war damals auch sehr weiß. Er erkannte das. Er hat es auch behalten. Aber das eben ist ungehörig in St. Ives. Zu St. Ives gehört die Vergeßlichkeit wie zu anderen Plätzen die Zärtlichkeit gehört. Oder die Furcht, die Zuversicht, der Verstand. St. Ives ist mit seiner Vergeßlichkeit allein wie die anderen Plätze mit ihrer Zuversicht.

Da wird nicht viel herauskommen bei dieser Vergeßlichkeit. Große Brombeeren, die zu pflücken vergessen werden, obwohl es verbesserte Brombeeren sind, nördliche Tropenfrüchte. Wer hilft den Fischen oder der Schwester des Jungen aus L. mit ihrem farbigen Kleid? Man muß ihnen nicht helfen, man muß der Welt helfen, seien wir froh. In St. Ives wird die Welt begrüßt und vergessen, man erwacht dort immer überrascht und vergißt die Überraschung spätestens gegen Mittag. Wer später erwacht, vergißt sie rascher. Die Vergeßlichkeit hat hier ihre eigene Ökonomie entwickelt, keine allzu komplizierte Ökonomie, dafür sorgen die Ertrunkenen. Auch die ertrunkenen Fische, Möwen, kleinen Katzen. Wenn der schwere Südwest schräg über das Festland treibt und die Nebelfelder zu zerreißen droht, kommt es zu sonst ganz unüblichen Streitigkeiten, Sehstörungen, Stürzen, Sektenbildungen, Gehbehinderungen, zu den unbehaglichen Begleiterscheinungen der Erinnerung. Man ist es in St. Ives nicht gewohnt, mit der Erinnerung zu hantieren wie anderswo, man möchte es auch nicht gewohnt sein. Das kleine Denkmal für die Vergeßlichkeit an der Biegung zum Friedhof entstand während eines elf Tage anhaltenden Südweststurms. Es ist eine widersprüchliche Erscheinung und die Leute von St. Ives möchten es weghaben. Die diesbezüglichen Eingaben an den Stadtrat sind zahlreich und werden vermutlich nicht ohne Folgen bleiben. Der Eintritt dieser Folgen ist aber wiederum abhängig von weiteren, wenn auch leichten Südwestströmungen, da sonst die Vergeßlichkeit an das Denkmal der Vergeßlichkeit den Entschlüssen des Stadtrats im Wege ist. Die Egalität, wie die Vergeßlichkeit von St. Ives in den besseren Häusern auf den Anhöhen fälschlich genannt wird, gibt dem Stadtrat Gelassenheit.

Der Junge aus L. lehnt an dem kleinen Denkmal und wartet auf seine Schwester. Er wippt und pfeift und reibt seine entzündeten Handflächen an dem rauhen Stein, den er für einen Findling hält. Seine weiße Schwester ist tatsächlich viel zu weit hinausgeschwommen. Die dunklen Pflaumen von M. A. tauchen vor ihm auf, er wird in den Buchladen gehen und sie sich holen, wenn er lange genug gewartet hat. Er wird seinen besten Anzug aus dem Schrank holen. Er wird hübsch zu Abend essen. Die Vergeßlichkeit von St. Ives geht an ihm nur zu einem kleinen Teil verloren und das gebührt ihr. Es ist ihr Tribut, so verloren zu gehen. Aber was geschieht mit den Hungernden, ja, was geschieht mit ihnen? Er kann sich hier nicht wegrühren, außer zu den dunklen Pflaumen, zum hübschen Dinner. Seine Schwester ist schuld. Vielleicht hätten sie L. nicht verlassen sollen, alle beide nicht. Ihr finsteres heimliches L. Das wars. Das wäre es gewesen. Aber das ist es nicht. Seine Wartezeit geht jetzt gleich zu Ende, seine Hände tun etwas weh, aber das wundert ihn nicht. Das ist so. Seine Weste ist vom Stein aufgerauht. Auch nicht zu verwundern. Wer gewinnt, weiß niemand. In Ordnung, in Ordnung, du gewinnst, kleine Schwester. Ich warte jetzt nicht mehr. Ich ziehe mich um, lehne mich im weißen Anzug gegen den Palmenstamm und photographiere mich selbst. Machen wir es so, auch wenn nichts daraus wird. Dann esse ich und trinke ich, bis vom Himmel nichts mehr zu sehen ist. Ich kann eine ganze Horde sein, wenn ich will. Ich allein. Ich bin dabei, weil ich mich nicht mehr erinnern muß, bin aus St. Ives.

So werden sie, die Jungen aus L., die hier landen. Die zuerst dachten: »Das kann es doch nicht sein.« Aber das ist es. St. Ives mit der Palme und der Vergeßlichkeit, mit den Bojen, die nicht reichen. Die dunklen Pflaumen von M. A. werden ganz gut sein, wenn es zu ihnen kommt. Falls ich sterbe, möchte ich nicht mehr behelligt werden. Genauer: Sobald ich dahin bin, möchte ich dahin sein. Wenn ich die Pflaumen habe, gehören sie mir. Heute reicht der Morgen nicht mehr, die Nacht ist zum Glück gekommen. Aber man ist nie so sicher. Die geriffelten Steine verbürgen nichts. Die Daten sind auch geriffelt, die schönen September- und Oktoberdaten, die die Nacht kräftiger werden lassen. Die Daten von St. Ives. Aber das weiß sonst niemand.

Der Junge aus L. beugt sich jetzt aus dem Fenster. Da unten schaukeln die Autos. Und wie sie schaukeln. Nichts Mittelmeerisches, dessen ist er gewiß. Die Erinnerung ist abgelegt. Süße Freiheit. Was einem hier alles einfällt. Das wäre in L. sicher nicht so gewesen. In keinem L. Sicher nicht. Dazu braucht es die bestimmte Brücke und das bestimmte Wegstück, das er zusammen mit seiner Schwester zurücklegte. Und Mr. Peables mit der Pfeife, der auch nicht von hier ist. Die genauen Arten bis hin zu der genauen Vergeßlichkeit, die man nicht einordnen kann. Da haben wirs. Auf der Hut vor Maximen. Vor den Behelligungen der Abläufe. So und anders. Und anders, anders, anders. Die Hochzeitsreisenden, die St. Ives gewählt haben, wissen nicht, wie recht sie haben. Und die halberwachsenen Geschwister auch nicht. Aber doch eher. Die Geschwister wissen es eher. Hier bleibt der kurze Ausflug zu den Seehundsbänken für sich, kann nicht wieder hervorgekramt werden, hat keine Gelegenheit mehr, wird nie ein Ausflug zu den Seehundsbänken gewesen sein, weil er einer ist. Und sicher auch, weil er keiner ist. Der Unterschied verliert an Wichtigkeit, obwohl es sich nicht so anhört. Es ist ein totaler Verlust. Was eintrifft, ist in St. Ives überfällig. Die süßen, eben aufgetragenen Tees mit den Pastetchen. Die korrekten Eintragungen in die Kirchenbücher. Die schwarzen, kurzen Wellen: da ist eine, die nie da war. Das störrische Gebell, die gestohlenen Hüte, Umhangtücher. St. Ives wehrt sich auf seine Weise gegen die unnütze Vielfalt, gegen die Schattierungen, die von Gegensatz zu Gegensatz führen. Von den Ziegen am

Abhang zu – sagen wir – nein, sagen wir nichts. Von den Fischersfrauen? Auch nichts. Aber wir haben ganz hübsche Kellner. Wir werden den Jungen aus L. engagieren. Der taugt zu keinem Rettungskommando und wird besser sein als seine bunte Schwester. Der beugt sich abends nur kurz über die Morgenblätter. Über die gewissen Listen. Der weiß, daß die Bucht keine Gewähr ist. Der hält sich.

Rahels Kleider

Wenn ich die Geschichte von den Lumpensammlern in Kensington niemandem mehr erzählte? Und auch die nicht von Rahels Kleidern in den Wandschränken, die keine Wandschränke waren, sondern Durchgänge zur anderen Straßenseite, Durchstiege eigentlich, obwohl nach meinem Ermessen niemand mehr durchkam? Nicht nur wegen Rahels Kleidern. Wenn ich überhaupt nichts mehr erzählte und auch auf Fragen nur im äußersten Fall und nur dem Scheine nach einginge? *Wissen Sie vielleicht, weshalb Rahel ihre Kleider nicht mitnahm, als sie fortzog?* Dagegen könnte ich mich, wenn ich verschwiegen genug wäre, mit langen Reden zur Wehr setzen. Über die Qualität von Rahels Kleidern, über die Möglichkeiten, Wandschränke als Durchstiege oder Durchstiege als Wandschränke zu verwenden. Und vielleicht über die Notwendigkeit einiger guter Schlösser, Riegel und weiterer zusätzlicher Sicherungen. Solange bis der andere sich atemlos, seinen Hut vor einem plötzlichen neuen Windstoß sichernd und ohne die geringste Antwort auf seine Frage verabschiedete und dächte: Den frage ich nie wieder. Man könnte auf eine solche Frage auch kurz den Kopf schütteln, aber das wäre schon geschwätziger, als Andeutung auslegbarer. Es hätte etwas von Geheimnistuerei an sich, die der Verschwiegene vermeidet. Daran erkennt man ihn, wenn man Lust genug hat, ihn zu erkennen. Und dieses kurze Kopfschütteln zöge die nächste Frage nach sich: *Oder haben Sie eine Ahnung, weshalb sich Rahel ihr Zeug nicht nachschicken läßt? Nach siebzehn Jahren?* Diese Frage könnte ich, wenn es mir schon nicht gelungen wäre, ihr zu entgehen, ohne zu zögern, verneinen. Denn ich habe keine Ahnung davon. Ich weiß es. Und da man von den Dingen, die man einmal weiß, keine Ahnung mehr zu haben pflegt, ja, dem Wissen über gewisse Dinge im allgemeinen nur nachjagt, um die Ahnung, die man davon hat, zu verlieren, wäre ich im Recht. Einmal hatte ich, obwohl ich es schon wußte, eine Ahnung davon, weshalb sich Rahel ihr Zeug nicht nachschicken läßt. Sie war schrecklich. Eine der gefährlichen Ausnahmen von einem alten, brauchbaren Gesetz, die man besser vermeidet. Es war auch vor zwölf Jahren. Ich habe heute keine Ahnung mehr. Ich sage die Wahrheit. Darauf der andere zögernd: *Siebzehn Jahre. Wenn man es einigermaßen bedenkt, eine Zeitspanne, innerhalb derer einem eine Tochter nicht nur geboren, sondern auch schon herangewachsen sein könnte. Wirklich,* könnte ich hier verblüfft einwerfen, denn ich wäre nicht darauf gekommen, etwas dieser Art zu bedenken. Solche Bedenken gehören zu den Ahnungen, die der Frager, der nichts weiß, noch hat. Sollte das Gespräch aber eine derartige Wendung nehmen, so wäre es besser, das Thema rasch zu wechseln, denn ich wäre jetzt in Gefahr, dem Fragenden mein Wissen aufzubürden und den Rest seiner Ahnungen zu zerstreuen. Gerade dann, wenn ich meine Verschwiegenheit für die unanfechtbarste hielte, wäre ich in dieser Gefahr. Jetzt sollte ich die Rede auf Töchter und Söhne im allgemeinen bringen oder besser noch auf den vielleicht eben einige Meter vor uns haltenden Omnibus weisen und mich nach hastigem Händeschütteln und einer halblauten, bedauernden Bemerkung hineinstürzen, um dann benommen und schwach in eine mir ganz unbekannte Gegend zu fahren, während der andere erstaunt zurückbliebe und sich überlegte, was ich um diese Zeit mit Hilfe dieser Linie, sagen wir hundertsiebenundvierzig, zu suchen hätte. Aber Rahels Geheimnis wäre gewahrt, der Schatten ihres Schicksals dem meinen um dieselbe Spur nähergerückt, um die es mir gelungen wäre, mein Wissen zu verleugnen.

Und ich könnte bei dieser Gelegenheit, wenn ich den Omnibus an der drittletzten Station verließe, auf einem der kleinen südwestlichen Klosterfriedhöfe nur einige Meter hinter den Gräberreihen der ehrwürdigen Schwestern Peggys Grab entdecken und mir den Grabspruch darauf, da mein Englisch besser, aber nicht viel besser als mein Spanisch ist, so falsch oder richtig übersetzen, wie ich nur wollte. Nicht zu übersetzen, weil meinem Wissen absolut zugänglich, wäre dann nur, was in Ziffern auf dem verblassenden Schild zu lesen stand, nämlich daß Peggy im Zeichen der Fische geboren und siebenjährig gerade noch im Zeichen des Löwen gestorben war. Und auch die Jahreszahlen, die mir, sollte ich an diesem Nachmittag keine Ahnung mehr davon haben, daß alle unsere Jahre gleich lang dahin sind, beweisen könnten, daß Peggys sieben Jahre um einiges länger dahin waren als die sieben, fünfunddreißig oder neunzig Jahre vieler anderer Leute. Schon die ihrer Nachbarin, deren Namen ich vermutlich wieder vergäße und die es Peggy fünfzehnjährig an einem Wintertag gleichtat, stellten sich mir bei dieser Art zu rechnen um einiges weniger lang dahin dar als die Peggys. Und so fort. Es kann kein glückliches Jahr für den Konvent gewesen sein, diese sterbenden Kinder, sterbenden Schwestern, viele von weit her. Ich könnte mir Peggy vorstellen, wie sie über einen der langen Korridore lief und ein Fenster schwanken sah, wie sie laut auflachte über den Beginn ihres Sterbens. Das könnte ich mir vorstellen, soweit reicht es bei mir. Und auch das nur im Falle der Linie hundertsiebenundvierzig. Es gibt andere Fälle und andere Linien.

So könnte auch in dem Augenblick, in dem unser Gespräch über Rahel die gefährliche Wendung nähme, ein Taxi sich rasch nähern, ich könnte zu rufen und zu winken beginnen, wieder das kurze Händeschütteln, die halblaute, bedauernde Bemerkung und gleich darauf die ungeduldige Frage des Taxifahrers nach dem Ziel. Wo nähme ich die notwendige blitzschnelle und gelassene Antwort her? Vielleicht fiele mir gerade jetzt die Adresse meiner halbdänischen Cousine ein, vielleicht hätte ich Glück und sie wäre nicht daheim, ich finge das im Wenden begriffene Taxi wieder ab und diesmal gäbe ich dem Fahrer, ohne nachzudenken und ohne das Geringste von Peggy zu wissen, die Klostergegend an. Dort war ich wirklich noch nie, dächte ich verwundert und das im nachhinein. Und ich landete wieder bei Peggys Grab. Da aber mein Taxi schneller gewesen wäre als der Linienbus, bliebe mir mehr Zeit, mich mit der Inschrift zu befassen, die Möglichkeiten der Übersetzung abzuwägen, soviel Zeit, daß ich sie vergäße, daß die zunehmende Dämmerung mich veranlaßte, den kleinen Friedhof zu räumen, drüben in den verschiedenen Trakten des Klosters die Lichter aufblitzen zu sehen, die Straße zu überqueren und vielleicht ganz geschickt an einer Gruppe laut redender ehemaliger Zöglinge, die von einer Réunion kämen, vorbei durch das Gartentor zu schlüpfen und das Pförtnerhaus zu erreichen. Hier könnte ich nach der Bitte an die Pförtnerin, mir ein Taxi zu bestellen, und nach ihrer höflichen Aufforderung, bei ihr in der Wärme zu warten, da es draußen doch recht windig sei, auch nachdem ich erfahren hätte, daß es sich in diesen Tagen nicht mehr um eine Réunion ehemaliger Zöglinge, *Altzöglinge* sagte sie vielleicht, sondern um Schwestern aus aller Welt handle, leider in den verschiedensten

Habits, die Sprache auf Peggy bringen, zu deren Zeit der gleiche Habit für Schwestern desselben Ordens ebensowenig in Frage gestellt worden war wie das tägliche Gebet um einen guten Tod. *Erstaunlich tapfer* könnte ich fragen, wieso hieße es *erstaunlich tapfer* und dabei erfahren, daß es nicht *erstaunlich*, sondern *überaus, über alle Maßen, im höchsten Grade* hieße. Mein fahrlässiger Umgang mit fremden Sprachen hätte mich wieder einmal in Verlegenheit gebracht, aber in keine sehr große Verlegenheit, da die Pförtnerin sicher lächelnd hinzufügte, *erstaunlich tapfer* könne es von einem Sterben in diesem Haus auch nicht heißen, eher *erstaunlich ängstlich,* das wiederum könne man auf keinen Grabstein schreiben. Und nach einer Weile und etwas leiser: es käme auch kaum vor. *Kaum vor, kaum vor,* das bliebe mir in den Ohren, wenn ich Glück hätte und mein Taxi in diesem Moment käme, ich also nichts weiter von Peggy erführe, nicht daß sie eigentlich Margaret geheißen habe wie andere Peggys auch, aus Gloucestershire stamme und anläßlich der Versetzung ihres Vaters in eine abgelegene indische Gegend schon mit viereinhalb Jahren in dieses Haus gekommen sei. Daß ich also im Taxi auf der Heimfahrt nicht auf den Gedanken kommen könnte, daß Peggy das tägliche Gebet um einen guten Tod ebenso selbstverständlich geworden sein müsse wie das Muster der Steinfliesen, fast zu einem täglichen Gebet um den täglichen Tod, daß meine Ahnung von Peggy unzerstört bliebe, mit *kaum vor, kaum vor* endgültig und genau definiert, umrundet und für immer unübertretbar gemacht, hier im Taxi auf der Heimfahrt wie in dem ebenso gewissen wie ungewissen Augenblick meiner eigenen letzten Erprobung. Wenn man es so nennen will. Ich kenne viele, die es so nennen wollen. Aber ich? Will ich es so nennen? Kenne ich mich? Diese Frage ist unzumutbar. Wo bin ich hingeraten? Die Lichter der Innenstadt werden schon deutlich, bekannte Leuchtreklamen, *Eliza Eliza,* die Boutique an der Ecke, wo ich mir vor Jahren eine Mütze kaufte, noch nicht für meine Augen, aber doch für meine wenn auch geringe Vernunft erkennbar: die Nähe des Ziels. Jetzt rasch, rasch alle meine Fragen noch einmal. Wer hat sie ausgelöst, wer war es, Rahel, Peggy, die Pförtnerin? Zu spät. Es ist jetzt keine Zeit mehr, nach fremden Schuldigen zu suchen. Jetzt nur die Fragen und ihre Reihenfolge. Wie ging es an? Mit *dem ebenso gewissen wie ungewissen Ort meiner eigenen letzten Erprobung. Wenn man es so nennen will. Ich kenne viele, die es so nennen wollen. Aber ich?* Hier. *Aber ich?* Die Frage ist so gefährlich wie unumgänglich. Ich bin nicht schuld an ihr. Und weiter: *Erinnert es mich nicht an die im Segnen erstarrte Gebärde gewisser Gipsfiguren?* Die Frage wäre zu umgehen, aber sie ist wenig gefährlich, sie ist auch auswechselbar. Die nächste: *Will ich es so nennen?* Die wäre auch noch möglich, aber nicht so überstürzt, nicht grob wie vorhin. Und wenn ich sanfter wäre, wenn ich sie sachter fragte? Käme ich dann weniger unbedacht auf meine letzte Frage: *Kenne ich mich? Mich – mich – mich – mich?* Die hallt, die stimmt nicht, die schließt fast nichts aus. Ich glaube, ich verhielt mich wie einer, der auszog, das Fürchten zu lernen, um der Angst zu entgehen. Ich hielt mich nicht an den Rat, der denjenigen, die im Finstern wandeln, wie es, glaube ich, heißt, zu Recht gegeben ist: Mehr Angst, mehr Angst, genug Angst, spring! *Wandeln,* das brachte mich schon mit sieben zum Lachen. Darum noch einmal. Mein Fahrer mäßigt schon das Tempo, der Kräuterhändler, bei dem ich meinen Malventee kaufe, ist von der anderen Richtung her in Sicht. Jetzt rasch. Rasch und behutsam, noch habe ich es im Ohr: *Gewissen wie ungewissen Augenblick meiner eigenen letzten Erprobung. Wenn man es so nennen will. Ich kenne viele, die es so nennen wollen. Aber ich? Erinnert es mich nicht an die im Segnen erstarrte Gebärde gewisser Gipsfiguren? Und will ich es so nennen? Kenne ich mich?* Geraten? Falsch geraten, weg von der, die lügt. Das ist die, die's nicht ist. Versucht, mich in den Schlaf zu bagatellisieren. Wie heißt die letzte Frage? Heißt sie wie wir, die wir erst heißen werden, sobald wir in den Mutterleib geraten und gleich darauf schon wieder geheißen haben, sobald nur unsere Asche über die aufgelassenen Weingärten treibt? Und dabei schwören könnten, daß Salomon nicht Salomon hieß, David nicht David? Nein, nicht wie wir, so ähnlich und so falsch. Die muß noch besser werden. Aber wie? Wie heißt die letzte Frage? Mein Fahrer dreht das Licht im Wagen an, liest seine Uhr ab, wird mir den Preis gleich nennen. *Wie heißt die letzte Frage? Wie heißt sie?* Ja. So heißt sie. Mein Wagen hält.

Friedhof in B.

Wir sind noch hier, wir können noch von einer kleinen Volte in Schrecken versetzt werden, die Pflicht zu resümieren kann uns den Tod ergänzen. Aber was soll das, wenn die vielen auf dem Friedhof von Nancy keine Ahnung davon haben, wenn sie sanft schlafen, wie es ihnen anempfohlen wurde, zu sanft. Kein Resümee, vielleicht doch nicht. Das kann einen schon überraschen. Und daß le miel der Honig heißt, daß, wer es wußte, es auch sagte, und Orléans verschlief. Der Überraschung dienen, heißt es nicht so? Dann bleiben wir dabei. Lassen uns nicht einfinstern. Das sagte immer der kleine Kazimir Silhouette, der nicht verstanden wurde. Noch nicht. Aber gefolgt von einigen Lords Osborne, Kapitänen au long cours im September, April und März. Akzeptiert man sie als Zusammenhänge, wie es die Wissenschaft tut, so kommt man nicht weit. Wärmt nur den Wein auf, der in diesen Gegenden erwärmt nicht gebraucht wird. Wein mit Honig. Das war sicher wo anders. Darauf muß man nicht kommen. Keinen Schrecken zu Ende verlieren. Den Rest von jedem behalten. Le miel heißt der Honig und für gewisse Käufe wird man mit Blicken verfolgt. Kein Vogelvau, es gibt in jedem Lande Regeln. Daß wir das wissen. Daß wir weiterfahren. Daß wir uns nicht einschüchtern lassen. Das Gelungene steht dahin. Es war zu geglückt. Aber man kann es mitnehmen. Hübsch eingeteilt fällt es niemanden auf. Dann gehen wir also jetzt an den Landrand. Oder ins Privatcafé. Das haben die Siebzehn entdeckt, ohne daß sie sich je ausgezählt hätten. Aber sie sind es immer. Einer von uns könnte euch einen kleinen Teekessel borgen, macht nicht schlapp. Und der andere könnte euch mit dem goldenen Mond über die Beine fahren. Das Schicksal hält für einen Augenblick den Atem an. Das wißt ihr. Das weiß doch jeder hier. Aber ihr solltet den kleinen Kazimir besuchen, sieben Schritte weiter oben, der wächst nicht weiter, das hilft. Er spielt Schach mit dem Kapitän und die Lords Osborne stehen rundherum und schauen zu. »Richtig«, rufen sie manchmal, »richtig, Kazimir!« oder »Quite«. Je nachdem. Und jetzt genug. Woraus das Schachspiel ist, wollt ihr wissen? Kastanienholz, glaube ich, aber ich glaube es nicht sicher. Ich sah nicht genau hin. Genug. Ihr seid beraten, ehe ihr davonbraust und mit dem geborgten Teekessel falsch einbiegt. Weshalb dann also? Das ist richtig. Das kann euch niemand abstreiten. Eure Unverdrossenheit liegt zu Tage. Sie hilft auch weiter. Ein Glanz breitet sich um euren leeren Tisch aus, von dem ihr nichts erfahren werdet. Seid sicher.

Aber, daß le miel der Honig heißt. Daß die Geduld so weit reicht. Von den Amphoren bis zu den Steakhäusern. Von den großen alten Namen bis zum flachen Gischt. Eure Hoheit sind einen Ring suchen gekommen. So weit herunter? Das überrascht auch wieder. Bringt er denn Glück, der Ring? Sind Steine dran? Bis zur gewissen Karatzahl oder höher? Ich bin ein König und ich will meinen Ring haben. Das leuchtet schon ein. Aber haben Eure Hoheit gefrühstückt? Gefrühstückt sucht sichs leichter, das ist nur ein Rat. Das Herz muß ruhig sein. Kräftig und unbeteiligt. Das weiß man. Und doch ist es eine von den Wahrheiten, die gern in die Binsen gehen. Zu denen man nicht aufschauen dürfte, wenn man es ernst meint. Zu denen man sich bückt. Wer gerade ein Schuhband oder eine kleine Ratte sucht, ist da schon sachverständig. Oder das eigene Einverständnis, wenn er betrachtet, was der schwarze Prinz trieb. Und Don Pedro der Grausame. So ähnlich jedenfalls. Wo waren wir stehengeblieben? Nirgends, Eure Hoheit. Wir bleiben nicht stehen. Wir gehen immer hin und her.

Der kleine Kazimir ist da viel ruhiger. Der sitzt auf seiner eigenen Steinumfriedung weiter oben und spielt Schach mit jedem. Ein und dieselbe Partie. Mit jedem weiter. Er streift nur manchmal seinen Kittel glatt. Und die Osbornes stehen ruhig rundherum und schauen zu. Der Kapitän schläft. Er ist ein guter Schläfer, das muß man ihm lassen. Das war er immer schon. Auf seiner großen Fahrt. Das verhalf ihm dazu. Schlechte Schläfer kann man da nicht gebrauchen, nicht einmal die mittleren. Es müssen gute sein, sonst drehen sie durch. Sonst geht ihnen die See auf, das gehört sich im allgemeinen für Kapitäne nicht. Er hebt nur manchmal seinen Kopf und fragt: »Wer spielt da? Ist das immer noch der kleine Kazimir mit irgendwem? Und wer steht da herum?« »Die Osbornes, Sir.« So weit. Die Stunde ist geklärt. Und wenn für keinen andern, so für ihn. Der kleine Kazimir wird schon in Schach halten, was übergreifen will. Was anderen Gräbern zustrebt. Er wird es vermutlich in Schach halten. Und weiter nicht. Der Kapitän schläft schon wieder. Manchmal hat er im Schlaf Halsschmerzen, dann hustet er und der kleine Kazimir wirft einen Blick hinüber zu ihm. Aber das ist selten. Er ist nicht der Kapitän, der immer Halsschmerzen hatte und deshalb das Kentern verlernte. Er hat es nie erlernt. »Und gut so«, sagt er stolz, wenn er gefragt wird. Die Osbornes schweigen. Der kleine Kazimir nickt höflich, aber er sagt auch nichts. Sein Spiel hält ihn von fast allen Meinungen frei. Auch die Osbornes möchten vor allem, daß gespielt wird, vor allem andern. Die wechselnden Gegenspieler stören sie nicht. Manchmal legen sie unruhig die Fingerspitzen aneinander, aber das hat andere Gründe. Der König ohne Ring war gar nicht schlecht. Er deutete nur einen Zug an, ehe er sich wieder verzog. Der Zug hatte einiges für sich. Und auch das Verziehen war gut. Vielleicht halten es die Osbornes für die Kunst der Könige. Man wird nicht rasch klug aus ihnen. Sie haben im allgemeinen spitze Gesichter, aber es sind auch runde dabei. Das muß man sagen, um gerecht zu sein. Dazu muß man sonst nicht viel sagen. Wer gerecht wird, wird leicht verlegen. Man kann nicht allen gerecht werden. Oder doch? Wem das bekannt ist, der erfährt es schon. Mit dem gerüttelten Maß an Verlegenheit, das dazu gehört. Vielleicht doch. Der Kapitän schläft. Au long cours, auch auf englisch, auf großer Fahrt. Wie das klingt. »Normal«, sagt der Kapitän im Schlaf. Er sagt es laut. Drei von den Osbornes lächeln. Der kleine Kazimir sieht auf zu ihnen und senkt den Kopf gleich wieder auf das Spiel. Er hört Hufgetrappel. Das wird Natalie sein. Sie hält an, betritt die Kirche und durch die Kirche rechts das stille Gelände. Sie zieht immer zögernd, ehe sie sich entschlossen wieder zum Fahren wendet. Die Osbornes hüsteln. Mit Natalies Zügen wird man nicht leicht fertig. Zuviel Zögern, zuviel Entschlossenheit, wenn das Zögern vorbei ist. Das Hufgetrappel entfernt sich, die Züge bleiben. Ob das erlaubt ist? Natalie hält auf dem Rückweg niemals, um sich zu korrigieren, sie jagt vorbei. Die Sonne geht rot hinunter, als hätte die See es nötig, von ihr markiert zu werden. Kazimir zieht noch einmal. Natalie war beim Leuchtturm. Natalie war immer beim Leuchtturm, wenn sie zurückjagt. Er versteht Natalie, sie hat Eile. Er hat sie nicht, sie hat sie. Er versteht das. Er schlüpft in seine Jacke. Die Osbornes beginnen auch unruhig zu werden. Sie haben ihre Strickjacken verlegt, vielleicht mit Absicht. Nur Philipp hat eine, Philipp Osborne. Aber was soll ein Osborne mit einer Strickjacke, wenn allen Osbornes kalt ist? Sie beginnen, die kurzen Wege hinauf und wieder hinabzugehen. Bei Natalie flammt Licht auf. Sie hat einen Wermuth nötig. Kazimir hofft, daß sie ihn bekommt. Vielleicht vom König, aber man weiß das nie. Vielleicht vom König nicht. Und Kazimir kann ihn ihr nicht geben. Er ist kein König, auch kein Osborne, er hat nicht einmal einen schlafenden Kapitän links oder rechts hinter sich. Kazimir hat eine verwegene Abstammung: jüdische Uhrenmacher, später auch oft Händler, auf beiden Linien. Aber das würde ihn nicht hindern. Auch nicht, daß er zu klein ist. Daß er seinem Wachstum schon bald nach der Geburt den Abschied gab. Er fände schon Wege, Flasche und Glas zu erreichen. Was ihn hindert, ist sein Spiel. Kommt noch jemand? Er rückt die Figuren sorgfältig zurecht und wartet.

»Wir sind schon an den Bänken«, sagt der Kapitän und stützt sich auf die Arme. »An den Bänken«, wiederholt Kazimir deutlich. »Nimm deine Mütze«, sagt der Kapitän. Kazimir bindet seine Mütze um. Man muß den Kapitän günstig stimmen. Vielleicht tut er doch noch einen Zug. Oder er geht zu Natalie hinauf und trinkt den Wermuth mit ihr. »Ayay, Sir«, sagt Kazimir ruhig und zieht an den Mützenbändern. Das hat ihm der Kapitän beigebracht. Aber der Kapitän schläft schon wieder, dem genügen seine Bänke. Die Osbornes sind auch verschwunden. Nach links vorne um den zweiten Stein wie immer. Ihre Spaziergänge sind ebenso Vorwände wie Philipps Strickjacke. Le miel heißt der Honig. Und Natalie bleibt allein. Wo liegt Orléans? Nancy? Wenn noch einer von den Osbornes da wäre. Philipp vielleicht. Ja, Philipp. Keine Gedanken verschwenden. Kazimir packt sein Spiel ein, merkt sich die Stellung und wirft einen Blick in die offene Mitte der Steinumfriedung. In sein kurzes, tiefes Grab. Der Überraschung dienen. So heißt es. Das weiß Kazimir.

Wisconsin und Apfelreis

Soll man wieder beginnen, die alten rührseligen Geschichten zu erzählen? Das Mitleid heraufzubeschwören? Welche Richtung fahren wir eigentlich, Euer Gnaden? Nun, wir fahren selbstverständlich diese Richtung. Flußabwärts. Es scheint doch alles an uns zu liegen. Oder nicht? Lassen, lassen, die Fragen lassen. Du gibst zu, daß es möglich ist, daß grün nie mehr grün wird, hast es schon zugegeben. Daß die Kobolde uns allein lassen. Sollen sie nur. Die Gatter springen immer mehr ins Bild, das sieht man doch. Die hadern miteinander und während sie hadern, springen sie. Wir bleiben aber hier. Wir warten ab. Wir warten ab, was aus dem Hader noch alles entstehen kann. Kann alles mögliche. Bilder, eine kalifornische Lady beim Erzählen, Apfelreis. Den kennen wir beide, mit dem machen sie uns nicht schwach. Die Dame erzählt ganz gut. Sieht aber aus, als kujonierte sie ihre kleinen Brüder. Laß sie. Jetzt sind wir doch schon wieder bei den Verdächtigungen. Laß sie. Sie erzählt auch zu laut. Du sollst sie lassen. Also gut, der Wechselrahmen steht ihr. Jetzt hustet sie. Sie sieht schwer aus. Eine schwere Lady beim Erzählen. Ich sage dir, das reicht nicht. Du wirst sehen, daß es nicht reicht. Aber uns muß es reichen. Samt dem Apfelreis. Uns soll immer reichen, was kommt. Damen, gefesselte Neger. Weißt du, was ich glaube? Wir haben das Verleugnete auf dem Hals. Man will uns lächelnd sterben lehren, schon lang. Ich sehe jetzt ein Kloster in Wisconsin. Dort waschen sie Teller. Sicher sehr sinnvoll. Dort ist man auch gut zu manchen. Immer dieses Schwarzweiß. Die Dame aus Kalifornien trägt eine grüne Bluse und ein schwarzes Jäckchen dazu. Ich sehe jetzt nur mehr den Hals. Aber vorhin trug sie, was ich sagte. Ganz sicher. Sicher sollte man auch weglassen. Alle Fragen und alle Sicherheiten. Das ist aber schwer. Wir sind gelungen, wir. Wieviele sind wir denn? Zwei? Bist du da sicher? Nein, nein, sag nichts, ich weiß schon. Alles falsch. Aber doch nur an der Darstellung. Die Sache selbst stimmt. Die gemeine Sache. Wie das klickt, wenn die Gatter sich verschieben. Und sie verschieben sich immer, wenn sie springen. Jetzt ist die Lady draußen, Wisconsin auch, bleibt der Apfelreis. Der ist unermüdlich. Der hängt so drinnen, daß er alle Sprünge übersteht. Der ist ganz dabei und der Hader stört ihn nicht. Wahrscheinlich liebevoll und ohne einen halben Gedanken zugerichtet. Gut, gut, wir müssen nehmen, was sich bietet. Aber mir wäre dann doch der halbe Mond lieber gewesen. Oder ein griechischer Buchstabe zum Abschied. Einer von den mittleren. Denn nach Abschied riecht es. Nach Blei, Bleistiften. Den Umständen entsprechend. Es schmeckt auch so. Glaub mir, das war nicht von allem Anfang an für den Gaumen bestimmt. Der Gaumen sollte geschont werden bis fast zum Ende. Aber jetzt haben wir das Blei auf der Zunge und den Apfelreis vor den Augen. Da ist die Dame wieder. Hätte ich nicht gedacht, wirklich nicht. Die ist zäh. Meinst du, daß die mit dem Erzählen auch nicht aufgehört hat, als sie aus dem Rahmen war? Ich weiß, ich weiß, keine Fragen. Häuptling Littlewood stellte auch keine. Das ist nicht von mir, das hat sie gesagt. War natürlich ein Späßchen oder sollte eins sein. Der gelingt das nicht so gut mit ihrem schweren Gesicht. Wetten, daß sie, wo der Rahmen aufhört, eine Reitpeitsche versteckt hält. Die rührt mich. Und das ist auch gut so. Dich rührt sie nicht. Denkst du, daß Wisconsin auch wiederkommt, das Kloster mit den kleinen Geschirrspülerinnen? Nein, so: Vielleicht kommt Wisconsin auch wieder, das Kloster und so fort. Vielleicht wird es doch heißen dürfen. Vielleicht darf es heißen. Das muß es heißen dürfen. Sonst bleibt ja nichts. Vielleicht sollte öffentlich geschützt werden. Kommt keiner auf die Idee. Die meisten mögens nicht. Kein Ding schützt es. Die Dame da oben hat keine Verwendung dafür. Für die ist alles, was es ist. Und wie es ist. Das hat sie gemeinsam mit ihren lachenden Heilern. Aber sie ist allein. Die kann einen schon rühren. Die soll keiner auf ihren finsteren Kopf stellen, sonst fiele sie um. Und damit basta. Wie rasch sich alles auf uns zu bewegt, was sich auf uns zu bewegt. Es springt. Das weißt du auch. Schlimm, daß sich die Bilder nicht vermehren. Immer wieder die Lady, Wisconsin, der Apfelreis. Oder vielleicht nicht schlimm. Oder vielleicht gar nicht schlimm. Abwarten. Kann sein, daß zuletzt nur mehr eins von den dreien bei diesen Sprüngen mithält. Oder sie vereinigen sich. Das Ganze ist aber jetzt schon ziemlich nah an uns dran, findest du nicht? Und viele Schritte zurück können wir nicht mehr machen. Da hinten stürzt es ganz schön steil ab. Oder nicht. Stoß mich nicht, ich habe nicht gefragt. Ich habe gesagt: Es stürzt ab oder nicht. Ein Glück, daß wir nicht allein sind. Ich meine, keiner von uns. Gib es zu, daß das ein Glück ist. Aber du gibst nichts zu. Du bist ein Horcher, ein Aushorcher, du stößt nur manchmal. Jetzt klickt es wieder. Ganz schön gemein, wie das klickt. Jetzt wird es langsam gefährlich. Wenn der Apfelreis nur verschwände, der Apfelreis paßt mir nicht. Nein, keine Gründe. Was sind Gründe? Was Gründe sind. Soll ich sagen: Der Apfelreis paßt mir nicht, weil er lächerlich ist? Ich kanns schon sagen. Es könnte einem ja auch ein Batzen Reis ins Auge kommen, wenn das Zeug stimmt. Obwohl es nicht so aussieht. Der hängt fest drin, die Äpfel auch. Braun an den Rändern, aber immerhin. Und Wisconsin scheint mir auf seine Weise ebenso stabil zu sein. Das Klösterchen. Da hab ich keine Sorgen. Aber einem, der mich fragte, ob wir da noch einmal durchkommen, quer durch die Gatter, durch die kleinen Blechrahmen, durch die leeren natürlich oder außen herum, dem würde ich sagen: Nein. Jetzt ist nur mehr ein Schritt hinter uns. Oder wie du es nennen willst. Dann kommt lang nichts mehr und was dann kommt, das schäumt. Das vereinigt uns mit Wisconsin, mit dem Reis und mit der armen Dame. Da sind wir dann in die Wahl eingetaucht, die wir nie hatten, keuchend, schnupfend, gurgelnd, aber wir sind drin. Da möchte ich dich dann sehen. Ob du zum Apfelreis tauchst oder zur abgesoffenen Klosterküche? Ob du noch was summst, wenn es dich hochspült? Man kann alle Bundesstaaten summen. Oder einen Fetzen von dem Zeug, das die Dame uns erzählt, einen Fetzen.

Aber die erzählt ja nichts mehr. Die hat aufgehört. Das ist ein schlimmes Zeichen. Und wenn es kein schlimmes Zeichen ist, dann ist es ein schlimmes Zeichen. Den Mund hat sie auch offen stehen lassen, halb offen, das sieht hirnrissig aus, das darf sie nicht, sag ihr, das darf sie nicht, sie soll weiter erzählen, sags ihr, von mir aus von Wisconsin und dem Apfelreis, hörst du, sags ihr, sags ihr, zerr sie an den verqueren Strähnen, kneif sie in die Wangen, aber sag ihr, sie soll weiter erzählen. Sie soll weiter erzählen.

II

Hemlin

Komm herunter, Hemlin, errate, was ich für dich habe. Geh noch tiefer. Du errätst es nicht. Verschwinde nur nicht hinter deiner bescheidenen Figur, das hast du nicht nötig, laß sie auspendeln. Auspendeln, sage ich, schleif nicht. Einer von deinen Füßen bleibt immer zurück. Verstehst du mich? Keine Ahnung, aber ich glaube, du murrst gegen die Sonne, du versteifst dich, das führt zu nichts, das führt nicht, was? Bring mir einen Korb Seife mit, Hemlin! Da läuft er.

Hemlin im Staate Jackson hat eine rothaarige Bevölkerung, es schneit dort nie. Hemlin leitet sich nicht von einer Grafschaft her, es entstand mit seinen Bürgern. Hemlin verdankt seinen Freimut seiner umsichtigen Fischereitätigkeit, Hemlin wird der Stolz seiner Nachfahren sein, es hat wenig kurzfristige Einwohner.

Hemlin wurde von Veronese skizziert. Sie steht, dem Fenster zugekehrt, inmitten ihrer Mägde. Sie scheint zu horchen, zwischen den Geräuschen des Vormittags unterscheiden zu wollen, ihre eigene Abwesenheit zu bedenken, ehe sie geht. Ihr rechter Arm ist abgewinkelt, die Hand leicht erhoben. Die Mägde wirken geschäftig, fast ängstlich. Weit hinter ihnen steht eine Tür offen. Die Mägde, die Tür, Hemlin, außer der Skizze ist nichts bekannt. Veronese hat das Gemälde nicht ausgeführt, vermutlich den Auftrag nach dieser Skizze abgelehnt.

Hemlin ist ein Briefkopf. Mit Adresse, P.O.B., das übliche, keine schlechte Adresse. Auch kein Aufwand. Der Aufdruck schmeichelt nicht, geht nicht zu leicht in den Blick. Den Vorfahren hat der Seewind den Kopf steif gemacht, ehe sie zum

Geschäft kamen. Eine klare Sache, verläßlich. Den jungen Lehrlingen sieht man ihren Stolz an. Ich komme von Hemlin. Sie machen gern Botengänge. Man versteht das.

Hemlin, eine Art unvernünftiger Freude aus in sich vernünftigen Anlässen. Die eigenartigen, lange bekannten Anzeichen finden sich am stärksten an den Nordost- beziehungsweise Ostküsten. Vogelartiges Gelächter, sich überschlagendes Wachstum, die Freude, durch die Zähne zu sprechen und so fort. Das alles, schon vor Lawrence bis zum Überdruß beschrieben, hat seinen Ursprung in der menschlichen Neigung, Anlässe unterzubewerten. Diese unterbewerteten Anlässe wachsen heimlich und brechen dann aus. Wir ersparen uns Quellennachweise.

Hemlin, Hemlin, wo bist du? Komm doch Hemlin, sie ersäufen dich, die Quellen wachsen.

Hemlin muß ein Monument sein, rund, macht Schwierigkeiten.

Hemlin.

Surrender

Ich höre, daß mit Tricks und Kniffen gearbeitet wird, Membranen, durchlässiges Zeug, hell, hell. Hell ist aber viel. Da kommt man schwer durch. Der war klug, der die Gänge mit Milch füllte, das trägt, aber nur bis zur Decke. Dann trägt es auch. Kein Kopfzerbrechen mehr. Wieviel Milch verdrängte Keats, der im Millimeterraum starb? Im Millimeterraum starb Keats. Die öde Milch, der Farbnachlaß, ohne den nichts groß wird.

Ohne den die Felder aus den Fabeln geraten, der Abzug muß nicht berechnet werden. Der Himmel zeigt sich wolkig, singt für die Pferde, Britanniens Töchter verübeln ihm nichts. Nichts. Die sind von der offenen Luft hochgebracht, das wirkt. Wirkt sich aus oder so, ja. Verlangt nicht nach Barmherzigkeit, wo sie nicht hingehört. Was hat Krikett mit zerriebenen Satteldecken zu tun, mit den Sammelbriefen aus Übersee?

Eben. Hier liegen wir, wir Hasen. Unverlangt, aber doch. Wir hören nicht auf, aufzugeben. Kein einziger kleiner von uns, unserer hellen Schar. Hell ist wahr. Die Schutzfarben sind schlecht verteilt. Man könnte es auch so nennen: Wir nahmen sie nicht, zeigten uns unbestechlich, benützten die Stimmlosigkeit, Gabel der Weisen, die Fehler liegen offen. Intra muros. Sind da.

Seither wuchert es hoch, Gloucester, die Wicken, ich möchte einmal Atem holen, Sir, aber keinesfalls für lang. Für lang. Vedo la cupola, das reicht. Für dich nicht? Ich frage nur. Weil es mir leicht reicht. Und da wüßte ich, da hätte ich gern. Ich möchte gern den Maßstab finden. Wonach richtet man sich? Dabei bin ich. Ich zeichne ein Meßband, schwache und starke Teilstriche. Es ist auch rot dabei.

Ein Vorlicht, keine Gewaltsache. Bleib, Schuster, da geht er. Ich verlasse mich jetzt auf die Namen, von heute ab, Hügelnamen, alle Arten. Versuche, es einem gleichzutun, der nicht kommt, einem Unverlockten, den kein Umriß zähmt. Ohne Trophäe. Ich kann noch zählen, bis ich nicht mehr zähle, fünf, sechs, zu lang. Viel zu lang. Der Bund zwischen uns und uns, wollen wir ihm die Ehre antun? Lösen wir ihn?

Bergung

Left, links, links, lassen. Die Dame sinkt, die Bordüren krachen, sonst ist es schön still. Wir kennen alle die Schule der Geläufigkeit. Da war nicht viel dabei, das war alles gleich so, spielend. Sie hat die Augen zum Himmel gewandt, sie hat farbige Augen, selbst in der jetzigen ungewissen Lage. Haltet die Seile, Leute. Sie hat hübsche Schuhe, eure Dame. Nur wenig abgelaufen.

Jetzt kippt es bald. Was sich in den Winkeln eingenistet hat, wird mitgerissen. Spinnwebfäden werden durchlöchert, Hohlzäune gekippt, Achtung da vorn, nicht tauchen, solange die Luft reicht, nichts aus den Ärmeln schütteln, was ohnehin herausfällt. Die Devisen als solche betrachten, wer sprach von den Folgen? Keine Rede. Oder doch? Der Stapel Papprollen stammt aus dem Kommando. Geheimsachen. Das schwimmt.

Die Betten kippen auch und die Lieblinge fliegen durch die Luft, Fetzenthemen, verkehrtes Gelächter, weiß, weiß, da fliegt es, rollt zurück, weiß ein, weiß aus und aus, hat viel zu lange aus und ein gewußt, die Rechnung ist verbraucht, läßt sich nicht halten, was aufging, fliegt jetzt auf und stöbert, sucht die Nässe, kann nicht von euch gehalten werden, von keinem, Leute, ist kein Strohmann hier? Die alte Rechnung weint, ist denn kein Strohmann hier, nein? Keiner, der ihr bleibt?

Leb wohl, hier könnten ebensogut Gräser wachsen, Ladies first, muß noch zum Doktor. General Lee ließ sich in Wachs gießen, er oder ein anderer, meinst du nicht? Hatte doch die hübsche Villa auf dem Scherbenhügel. Gib acht, daß die Kerls lernen, adieu, adieu. Daß sie wachsen, das ist wasserfest. Billig, ich weiß. Aber nichts ist so, wie es bleibt.

Der fröhliche Tag, einer war es doch, läßt schwanken, Wasser mahlen, bleibt fort. Hier und da hat er Pappmühlen aufgestellt, ohne Gewähr, an denen steigt es hoch, die Namen bis zu zweiunddreißig, Lisbeth, Alfons, weißlich, ohne Zeichnung, an denen steigt es, ungehindert, das war die Bedingung, loyale Mühlen, Walkmühlen, Zundermühlen, aufhalten, der Tag hat sich verzogen, läßt mahlen, er bringt ein, stands tiptoe, er verneigt sich und himmelhoch, kennt nur mehr seine Mühlen, Tag, Tag, kennt uns nicht mehr.

Galy Sad

Jenkins hat sich über den Mangel an Vokalen beschwert. Sie werden von Woche zu Woche verlegt. Der rote Fluß hat sie ausgespuckt, das ist eine alte Nachricht. Von vor der Sperre. Jenkins? Ich glaube, er verwechselt sich. Er hat keine Geduld.

Jenkins bleibt aus, er will keine Vokale mehr, liegt still, er ist unverläßlich. Eine Weile warte ich noch, aber lange nicht. Kann sein, daß er einen Vertreter schickt. Ruhig. Keine neuen Formulierungen.

Er hat sich jetzt eine Bleistifthülse über den Kopf gezogen, verlängert oder nicht, darunter keucht er. Aber er nimmt sie nicht ab. Wie er ist? Ja, so. Mit der Bleistifthülse. Der weiße Mantel paßt nicht, zu lang und alles im Liegen. Jemand müßte ihm aufhelfen. Im Liegen geht wenig, geht nur sehr wenig. Die Flüsse beeilen sich nicht.

Hinunterlassen. Warten, warten, aufhalten. Winnipeg möchte noch einen Strich häkeln, rund um die Knöchel. Winnipeg ist langsam. Schreibt sich falsch und häkelt gerade, immer rundum. Unserem lieben Jenkins einen Strich um die Knöchel, das kann sie. Komm herunter, Winnipeg, bleib nicht zu lange abseits, willst du ein Pferd? Ja, ein Pferd. Ein kleines Pferd und Häkelgarn. Kommst du dann? Häkle uns einen Laut, Winnipeg. Und laß deinen Jenkins schlafen. Die Lust auf Vokale wird ihm von selbst vergehen, wird an der Luft zersplittern, wird sich bald blind schreien. A O U, häkle nur weiter, dein Jenkins schläft, der ist gut aufgehoben. Ruht. Bleibt weithin liegen, bleibt sichtbar, wie du ihn verläßt, ausgeworfen, verletzt, leicht verletzt, geh, geh. Gib gut auf deine schiefen Sohlen acht. Geh weg. Er schläft.

L. bis Muzot

Ein kleiner Mann mit einer gelben Mütze, das war Muzot. Fangen Sie nur nicht wieder mit Ihren Farben an, rief er. Eine genügt. Ohnehin kommen immer Militärs dabei heraus. Ohnehin kommen immer? Er rief so. So wahr ist das. Aber Muzot fiel mir auf die Nerven. Er hatte Erinnerungen. Ich mußte ihn gehen lassen. Wenn ich denke, wie er zum Haustor hinausschwankte. So klein.

Am Haustor steht Litford. Er mißt die Leute. Keiner hat es ihm geschafft oder nur erlaubt. Er hat aber eine Befugnis, sagt er. Und ein Meßband. Das fällt merkwürdig zusammen. Sein Herz gebietet ihm. Dagegen kommt man nicht an. Er hat manchmal Krämpfe, dann stürze ich rasch an ihm vorbei. Ich bin schon dreimal gemessen. Ich denke, daß ich ihm sagen werde, er soll jetzt auf Nummer vier weitermachen. Hier sind alle gemessen und das Meßband verdirbt mir die Fliesen im Flur. Er klebt es immer an. Es ist eigentlich ein Klebeband. Das muß ich ihm sagen.

L. wollte nach Hampshire. Aber er ging nicht, etwas hielt ihn ab. Vielleicht der Rauch hier, sagte er. Mir ist nicht damit gedient, wenn alle bleiben, sagte ich. Gespräche, die so beginnen, habe ich ungern. Das merkt er auch. Und noch deutlicher kann ich nicht werden.

Muzot sagte, er hätte zwei Söhne, M. und M. Aber ich glaube ihm nicht, er wollte mir nur drohen. Woher soll er Söhne haben? Vielleicht hat er zwei Mützen, M. und M. Nein, nein, nicht einmal das. Hie und da überlege ich, wo er jetzt sein könnte. M. und M.? Das bringt einen auch nicht weiter.

Tief im Schacht, summt L., wenn er an meiner Tür vorbeigeht. Er hat schlechte Manieren.

Mazarin besuchte mich in seiner Tunika. Was die Leute von mir wollen? Er sprach von seinem dreizehnten Geburtstag. Ich auch. Ich bin vorsichtig.

Litford hat L. gemessen. Ein Irrtum. Aber vielleicht kam doch etwas heraus? Eine Maßzahl, ein Resultat. Zweihundertelf oder hundertzwanzig zu siebzig. L. ist groß. Er hat mehrere Größen. Ich glaube, das gibt Ärger für Litford.

Und Ärger für mich. Wir wollen ihn an Land setzen, sagte einer. Ich hörte ihn. Ob es Litford war? Der wollte unlängst die Verwaltung einberufen wegen des Windrades im Lichtschacht. Und sein Meßband? Ich weiß auch nicht, ob Mazarin aus dem Haus ist. Das könnte wiederum Muzot veranlaßt haben. An Land setzen? Ich möchte wissen, woher sie das Land nehmen. Es ist alles gepflastert.

Diese Sachen kenne ich, damit können sie mir nicht kommen. Lasalle rührt sich auch nicht mehr, das enttäuscht mich. Dachte, er wollte zurück. Wegen des paradiesischen Zustandes hier. Wenigstens für ihn.

Ob ich den Rest behalte? Ob ich ihn auf gut Glück an mein Herz nehme?

Sur le bonheur

Ich las ein Stück über Revolutionsarchitektur, ließ mich wenig berühren. Soll Versailles erweitert werden oder nicht? Das ist für mich eine Erdlochfrage, eine Frage der Sequenzen. Soll erweitert werden? Gut, gut. Schert mich nicht und ich schere Versailles nicht, lasse ihm seine Rabenflügel, berühre sie nicht, gebe zu, daß sie wachsen. Daß sie wachsen.

Also doch. Soll geschwärzt worden sein, eingeschwärzt. Ich sehe nur nichts. Das soll man nicht weiter wichtig nehmen, soll sich auf die Konzentrate beschränken, alle Arten. Das ließ ich mir sagen. Gab zu, daß man es sagte. Gab verschiedenes vor mir zu. Da war ich noch nicht weit. Bei gleich und, gleich mit, da konnte ich noch nichts sagen, nicht entgegenwirken. Alles war wie jetzt.

Wo sie die hübschen geschwärzten Steine hernehmen? Steigbügel vielleicht. Da muß ein Joker her, einer, der durchflieht ohne Lichter. Der soll kommen. Die Art und Weise überlasse ich ihm, geräuschlos am besten, aber wie er will. Ich nehme ihn schon nicht, darauf kann er sich verlassen. Ich ducke mich rechtzeitig.

Heute habe ich Leitersprossen kopiert, eine nach der andern. Fand verschiedenes heraus. Lotos zwischen III und IV. Die vierte geriet mir zittrig. Danach ging es eine Weile. Leitern, Leitern, alle Arten, aber das Leiterwerk ist nicht perfekt. Das ist oft so. Wer riet mir, mich an die Sprossen zu halten? Vergessen. W. V. oder W. W., einer von denen. Soll ich mich daran halten? An meine vierte zittrige? An meine liebste? Sehen, was sie kann?

Der Turm von Babel ist gewiß nicht an einem Tag erbaut worden. Eine Ursache unserer Freude. Ursachen dieser Art gibt es viele. Gibt es alle. Nicht an einem, auch, gewiß, gewiß nicht, soviele. Ach Ursachen, diese Ursachen. Ich fand dein Halstuch. Hörst du mich? Ich habe es aufgegeben, die geschwärzten Strände hinaufzuklettern. Ich fand nur dein Halstuch.

Das Tal, mein Tal, wo ich auch immer einmal hinwollte. Kam nicht hin, schade. Kam nicht hin, wo ich gern entsprungen und den jüngsten Lauf getan hätte. Wäre. Wo ich nicht geblieben wäre. Gern, gern, aber ich kam nicht hin. Kam nicht hin, wo ich nicht geblieben wäre. Kam nicht hin.

Consens

Die Worte der Vereinigung, he, Worte, Geflügel, abgeschieden vor der zu bestimmenden Zeit, wann sollten eure süßen Eklipsen geschlagen haben, wann gerieten sie sich in die Haare? Nein, nein, ich weiß schon, holdselig und der Schweiß kaum zu spüren, harzig, trat nicht erst aus, nichts trat, nichts prügelte sich jenseits eurer sanften Vermutungen, Alissa, die ernste am Feuer, und so fort, meisterten sich sanftmütig aus der Welt und ihre Initialen erst recht.

Die schöne Farblosigkeit, daran halten wir fest, Jugend, noch längst nicht die Gewähr der Farbe, das ist es, wäre immer noch in Ordnung, Jugend. Wer sah Thyrrus, sah den Korb? Wen, wessen Herzschlag, die Felle kreuzen, werden rasch vertauscht, wer sah ihn? Ihn. Ist Melbourne in Ordnung? Gut, das war gut, ja, wird niemals überboten werden, Melbourne ist schon vergessen.

Die Finsternis, dann die Schlängelwege, zuletzt die Reihenfolgen, vor, haupt, nach, wie kommt das? Nach ist sicher das beste, ist am besten, weil zuletzt erfolgt, dagegen nehmen sich die Wege kümmerlich aus, glatt, nein, nicht einmal, geriffelt auch nicht, eben. Ist es jetzt finster? Keine Spur. Geschlängelt, aber in die Folge haben sich die Folgen gedrängt, seither schwankt es.

Ginger, Quadalupe oder Kumawi? Das wuchert, überwuchert uns die alten Spuren, hält uns im argen, the blue, blue Indian sea, wohin damit, lassen wir einfach, der Boden ist noch trocken und genug Boden, genug trockener Boden, weshalb allein und vor Feuern, gib es zu, machen wir, daß wir fortkommen, Kumawi, lassen wir uns aus.

Ermattet oder nicht, wer fragt dich, Blinder? Alfons von Ligurien ist weit weg, läßt die Schnäbel schwimmen.

Die bezeugte Unreife bewahren.

Insurrektion

Die Weibchen der Jaguare, ihre Wechsel sind ausgeschrieben. Ich deute nur hin. Keine Zeichen der Auflösung, die bleiben uns vorbehalten. Nein, nicht anders. Uns vorbehalten. Uns, eben so. Und so. Den Tran schlürfen die andern. Lassen. Unter zehn Leiern die Wahl treffen und keine schlagen. So. Du warst gut.

Du warst sehr gut, du hattest dich in der Macht, bei Fuß, dich selber, du hattest dich. Das war schon und blieb nicht aus, keine Silbe. Bei deiner Sonne. Es war nichts zu sagen.

Gib mir jetzt meine Weiden zurück. Streif dir selber das Fell glatt, gib mir die Weiden. Und gönn dir Ruhe, gönn dir eine Menge Ruhe. Ich bleibe am Rand. Nichts von der Strömung, die soll mich verschonen. Die Mitte, gold, rotgold, schwarzgold. Bis ich verschont bin, zu Ende verschont. Gib her.

Da flog das Wort auf, sinnlos in den Rübenhimmel. Kein Karnickel zu sehen, nichts schnappte danach, keine Hieroglyphe beschädigt. Meine Tiere mögen das nicht, sind nicht leicht zu verlocken. Aber die Weiden, die müssen her, das Gestrüpp, selbst die Stämme. Wie das gehen soll? Keine von meinen Fragen. Links, rechts, da gibt es Leute, Fachwerker oder so, hübsch und stark genug. Z.V.b. und nicht zu unterschätzen.

Die alten Formeln sind überfällig, keine wiederholt sich.

Jetzt Ruhe.

Queens

Wahlverwandt, geglückt, die Schwindelerreger reihen sich aneinander, uses my wife for sewing, das Kettenhemd wächst, läßt sich bald einhaken, die Legende eine Leseanleitung, ein Nähfaden für die Unsterblichen, für ihre gebrechlichen Finger, entwichen, ausgefädelt, nein, nein, so nicht, wir haben uns gleich wieder, wir sind vollzählig, da, doch da, abgewrackt in Virginia, aber wir sind doch da.

Lies, lies, die flachen Sträucher, welche Art welcher Farbe, im Wortlaut welcher Hälften, Stromtäler, lay outs, sagt es sich leicht, steigt nicht das Rinnsal, lies, lies weiter, den Rost, die dürren Zeilen, gekraust, die Linien verblättert, lies und horch, steh nicht zu dir, dreiachtundsechzig ist eine gute Nummer, die bleibt nicht, nimm sie ruhig.

Uses my wife, der Schneidertisch ist gut, der hat Schrauben genug, hält stand und läßt sich sein, ist auch im Plan vermerkt, der gibt nicht auf, steht dort und dort, der hat sein Ende bei sich und abgezirkelt, unter Dach, nicht gut genug, aber gut, das klappert, lustig ist ein Wort für den, der es eins sein läßt. Und Heu ein anderes, das paßt nicht, falsch im Zuschnitt. Heu, wer wars? War keiner, Heu war keiner. Oder einer, der es nicht zugibt. Heu ist ein Wort.

Lebe jetzt nur wohl, Mary, lebe wohl, es war hübsch, dir zu dienen, du hast passiert. Hier sind zwei flache Stufen, gib acht, gleich geht es abwärts, aber nicht für lange, leicht abwärts, so wie du es wolltest und nicht für lang, die Nelken warten, fall nicht, vergib, was sich dir bietet, laß die Hemden im Abfall, don't look back, schon wieder, das schleicht sich ein, back,

back, der Blick ist gut, der Rat auch, drum schau nicht, horch nicht, Mary, geh.

Das soll kein Ende sein, wenn es eins sein soll, Enden genug, längsseits und längsseits, zu Füßen und zu Füßen, wenn du willst, Endlein, vierzehn Schnipsel, synthetics, Perlen und Teufel, das macht sich, Mary, das glaubt jeder, wie das vom Tisch fährt, laß die Enden tanzen, bis sie rund sind, Ecken und Enden rund mit Ringelschwänzen, bis man sie eintreibt, unsere guten Freunde, in das durchtränkte Buch, auf das wir schwören.

Anhang

Editorische Nachbemerkung

Schlechte Wörter, 1976 bei S. Fischer erschienen, enthält eine neuartige Form von Texten: »Erzählungen« wie *Dover* und *Privas*, die eher um ihre Gegenstände kreisende Betrachtungen als Erzählungen sind. In der zweiten Hälfte dann Prosa, die von Ilse Aichinger selbst in die Nähe des Prosagedichts gerückt wird (wie *Hemlin, Surrender, Queens*).

Die Texte aus *Schlechte Wörter* sind zwischen 1970 und 1976 entstanden. Für die Datierung kommen in vielen Fällen Ilse Aichingers Jahreskalender zu Hilfe, wo sie oft den Beginn und die Beendigung der Arbeit an einem Text kurz vermerkt: So sind die »Prosagedichte« des mittleren Teils allesamt in einem relativ kurzen Zeitraum, um Ende 1970/Mitte 1971 entstanden, weder vorher noch nachher hat Ilse Aichinger Texte dieser Art geschrieben. Für die Datierung war es hilfreich, daß Ilse Aichinger viele ihrer Manuskripte auf die Rückseiten von datierter Korrespondenz des ›Evangelischen Pressedienstes‹ (epd) geschrieben hat, woraus sich ein terminus post quem erschließen läßt.

Die vorliegende Ausgabe innerhalb der Werk-Ausgabe enthält sämtliche Texte in der Anordnung des Bandes

Schlechte Wörter von 1976 mit Ausnahme des in einem dritten Teil der Erstausgabe abgedruckten Hörspiels *Gare maritime*. Dieses Stück wird im Rahmen der Werk-Ausgabe im Band *Auckland Hörspiele* zugänglich gemacht.

Als Druckvorlage für alle Texte dient der Band *schlechte Wörter* von 1976. Es gibt darin eine Erweiterung und Umstellung: Etwa 1976 – *schlechte Wörter* befand sich bereits in Druck – hat Ilse Aichinger einen Text geschrieben, der sprachlich und thematisch eng mit der Sammlung *schlechte Wörter* verknüpft ist: *Friedhof in B.* (Erstdruck in: ›Jahresring 1976/1977‹, Stuttgart 1976, S. 125–128). Dieses Prosastück ist in die vorliegende Ausgabe neu aufgenommen und vor den Text *Wisconsin und Apfelreis* eingereiht worden.

Bibliographische Hinweise

Abkürzungen

	schlechte Wörter 1976 schlechte Wörter, Frankfurt a. M.: S. Fischer 1976
ED	Erstdruck
EB	Erstveröffentlichung in Buchform
E	Entstehungszeit
L	Liste Ilse Aichingers

Schlechte Wörter

ED schlechte Wörter 1976, S. 7–10
EB ebda.
E L 1973

Flecken

ED ›Für Rudolf Hirsch. Zum siebzigsten Geburtstag am 22. Dezember 1975‹, Frankfurt a. M.: S. Fischer 1975, S. 20–22
EB ebda.
E Kalender 1974: »18. 1. Flecken«; »19. 1. Flecken fertig«

Zweifel an Balkonen

ED ›Daheim ist Daheim. Neue Heimatgeschichten‹, hrsg. von Alois Brandstetter, Salzburg 1973, S. 7–11
EB schlechte Wörter 1976, S. 15–20
E 1972

Die Liebhaber der Westsäulen

ED ›Süddeutsche Zeitung‹, Nr. 109, 13./14. Mai 1973, S. 156
EB ›Facetten '73‹, Literarisches Jahrbuch der Stadt Linz, 1973, S. 15–18
E TS auf epd vom 23. September 1972

Der Gast

ED schlechte Wörter 1976, S. 25–30
EB ebda.
E Kalender 1974: 5. Februar–9. Februar »Adolphe« [=Der Gast]

Ambros

ED ›Facetten '71‹. Jahrbuch der Stadt Linz, 1971, S. 30–32
EB schlechte Wörter 1976, S. 31–33
E TS auf epd vom 22. Januar 1969

Dover

ED schlechte Wörter 1976, S. 34–37
EB ebda.
E TS auf epd vom 4. März 1972
L 1974

Privas

ED schlechte Wörter 1976, S. 38–41
EB ebda.
E TS auf epd vom 8. Dezember 1971
L 1974/1975

Albany

ED ›Konfigurationen‹. Jahrbuch für Kultur der Stadt Wien 1971, S. 5–8
EB schlechte Wörter 1976, S. 42–47
E TS auf epd vom 18. März 1970

Die Vergeßlichkeit von St. Ives

ED schlechte Wörter 1976, S. 48–51
EB ebda.
E L 1975

Rahels Kleider

ED schlechte Wörter 1976, S. 52–58
EB ebda.
E L 1975

Friedhof in B.

ED ›Jahresring 1976/1977‹, Stuttgart 1976, S. 125–128
EB ebda.
E TS auf epd vom 13. März 1971 und 26. August 1972

Wisconsin und Apfelreis

ED schlechte Wörter 1976, S. 59–62
EB ebda.
E TS auf epd vom 8. Dezember 1971
L 1975

Hemlin

ED ›Merkur‹, 26. Jg. (1972), H. 11, S. 1130
EB schlechte Wörter 1976, S. 65–66
E TS auf epd vom 12. Dezember 1970
L 1971

Surrender

ED schlechte Wörter 1976, S. 67–68
EB ebda.
E Kalender 1971: »7. 5. X [=Surrender] beg.« Dann aber zwanzig Tage ohne Kalendereintragung, erst wieder: »26. 5. X [=Surrender] (2)«

Bergung

ED ›Jahresring 1971/72‹, Stuttgart 1971, S. 29–30
EB schlechte Wörter 1976, S. 69–70
E Kalender 1971: »12. 2. V [=Bergung] beg.«; »13. 2. V [=Bergung] fertig (?)«

Galy Sad

ED ›Literatur und Kritik 57‹ (September 1971), S. 396–397
EB schlechte Wörter 1976, S. 71
E Kalender 1971: »21. 2. VI (=Odin) [=Galy Sad] beg.»; »28. 2. VI [=Galy Sad] fertig«

L. bis Muzot

ED schlechte Wörter 1976, S. 72–73
EB ebda.
E Kalender 1971: »18. 1. I [=L. bis Muzot] zu schreiben beg.«; »21. 1. I [=L. bis Muzot] fertig«

Sur le bonheur

ED ›Merkur‹, 26. Jg. (1972), H. 11, S. 1129
EB schlechte Wörter 1976, S. 74–75
E Kalender 1971: »5. 2. IV [=Sur le bonheur] beg.«; »10. 2. IV [=Sur le bonheur] fertig«; »11. 2. noch ½ Zeile«

Consens

ED schlechte Wörter 1976, S. 76–77
EB ebda.
E Kalender 1971: »18. 3. VII [=Consens] beg.«; »21. 3. VII [=Consens] fertig (?)«

Insurrektion

ED ›Literatur und Kritik 57‹ (September 1971), S. 396
EB schlechte Wörter 1976, S. 78
E TS auf epd vom 31. März 1971

Queens

ED ›Basler Nachrichten‹, Nr. 205: 27. Mai 1972, S. 33
EB schlechte Wörter 1976, S. 79–80
E L 1971

Ilse Aichinger
Werke

Herausgegeben von
Richard Reichensperger

Acht Bände in Kassette
Die Kassette wird nur geschlossen abgegeben
Als Einzelbände lieferbar

Die größere Hoffnung
Roman. Band 11041

»Wer ist fremder, ihr oder ich? Der haßt, ist fremder als der gehaßt wird, und die Fremdesten sind, die sich am meisten zuhause fühlen.«

Der Gefesselte
Erzählungen 1
1948–1952
Band 11042

Am Beginn der Wiederaufbau-Ära sprechen Ilse Aichingers frühe Erzählungen von Erstarrung und Verdrängung, »erlösungssüchtig und untröstlich, kritisch und gelassen.« *Joachim Kaiser*

Eliza Eliza
Erzählungen 2
1958–1968
Band 11043

»Tatsache ist, daß Ilse Aichinger mit den herkömmlichen Praktiken des Schreibens endgültig gebrochen hat. Sie verläßt sich nicht mehr auf Visionen, sie besteht auf reiner bodenloser Anarchie.«
Heinz Piontek

Schlechte Wörter
Band 11044

»Eine Prosa der Zweifel, der Fragen, der Suche. Diese Prosa hebt alles aus den Angeln, was sie anspricht und meint.«
Jürgen Becker

Kleist, Moos, Fasane
Prosa. Band 11045

In Erinnerungen an die Zeit des Nationalsozialismus, in Aufzeichnungen und Reden vollzieht sich eine poetische Rebellion gegen die Gewalt der Geschichte.
»Wenn es zur Zeit der Sintflut geschneit und nicht geregnet hätte, hätte Noah seine selbstsüchtige Arche nichts geholfen.«

Auckland
Hörspiele. Band 11046

Dieser Band versammelt erstmals sämtliche Hörspiele Ilse Aichingers, vom sozialkritischen Stück »Knöpfe« (1953) bis zum Sprachgewebe »Gare maritime« (1976), das die Autorin mit Jutta Lampe und Otto Sander inszenierte.

Zu keiner Stunde
Szenen und Dialoge
Band 11047

Dialoge und Szenen, die in mikroskopisch präziser Dialogtechnik Orte und Charaktere lebendig machen, »ein zierliches Meisterwerk, das Fülle und Geheimnis des Lebens enthält.«
Günter Blöcker

Verschenkter Rat
Gedichte. Band 11048

»Gedichte, in denen Kritik an dieser Welt geübt wird, die darum, weil sie nicht tagespolitisch ist, um nichts weniger radikal ist.«
Erich Fried

Fischer Taschenbuch Verlag

fi 2013/1b

Fernando Pessoa

Alberto Caeiro · Dichtungen
Ricardo Reis · Oden
Portugiesisch und Deutsch
Aus dem Portugiesischen übersetzt und mit einem
Nachwort versehen von Georg Rudolf Lind · Band 9132

»Algebra der Geheimnisse«
Ein Lesebuch
Mit Beiträgen von Georg Rudolf Lind,
Octavio Paz, Peter Hamm und Georges Güntert
Mit zahlreichen Abbildungen · Band 9133

Álvaro de Campos
Poesias · Dichtungen
Portugiesisch und Deutsch
Aus dem Portugiesischen übersetzt und mit einem
Nachwort versehen von Georg Rudolf Lind · Band 10693

Ein anarchistischer Bankier
Aus dem Portugiesischen übersetzt und mit einem
Nachwort versehen von Reinold Werner · Band 10306

Das Buch der Unruhe
des Hilfsbuchhalters Bernardo Soares
Aus dem Portugiesischen übersetzt und mit einem
Nachwort versehen von Georg Rudolf Lind · Band 9131

Fischer Taschenbuch Verlag

fi 1808 / 1

Ossip Mandelstam

Das Rauschen der Zeit
Gesammelte »autobiographische« Prosa der 20er Jahre
Herausgegeben und übersetzt von Ralph Dutli
Fischer Taschenbuch Band 9183

Mitternacht in Moskau
Die Moskauer Hefte · Gedichte 1930 – 1934
Russisch und Deutsch
Herausgegeben und übersetzt von Ralph Dutli
Fischer Taschenbuch Band 9184

Gedichte
Aus dem Russischen übertragen von Paul Celan
Fischer Taschenbuch Band 5312

Im Luftgrab
Ein Lesebuch
Herausgegeben von Ralph Dutli
Mit Beiträgen von Paul Celan, Joseph Brodsky,
Pier Paolo Pasolini und Philippe Jaccottet
Fischer Taschenbuch Band 9187

Nadeschda Mandelstam · Das Jahrhundert der Wölfe
Eine Autobiographie
Aus dem Russischen übersetzt von Elisabeth Mahler
Fischer Taschenbuch Band 5684

Fischer Taschenbuch Verlag

fi 1804 / 1

»Ich möchte, daß auch für mich, den autor dieser verse, manches geheimnis geheimnis bleibt. Es gibt schleier, die wir nicht ungestraft berühren.«
Jan Skácel

Jan Skácel · wundklee

gedichte

Ins deutsche übertragen und mit einem nachwort versehen von Reiner Kunze

Band 10129

Die Gedichte des tschechischen Lyrikers Jan Skácel sind formenreich und voller Bilder. Seine Lyrik geht vom Einfachsten aus und hat doch die letzten Dinge zum Thema: die fließende Zeit, die Angst, den Tod und das Wissen um eine immer bedrohlicher werdende Sprachlosigkeit.

Wie Trakl und Huchel läßt er die Natur immer wieder für die Wünsche und Ängste des Menschen einstehen. Das macht diese oft nüchternen und immer genauen Gedichte so leicht und zugleich so geheimnisvoll. Peter Handke sagte anläßlich der Verleihung des Petrarca-Preises 1989 an Jan Skácel: »Ich habe nicht alle der in etwa vier Jahrzehnten entstandenen Gedichte Skácels lesen können, und alle die, die ich las, nahm ich, bis auf eines, nicht im originalen Tschechischen auf, sondern in der, scheint mir, märchenhaft glücklichen deutschen Übersetzung Reiner Kunzes: Doch haben die hundert und mehr mich beseelenden und mich ihren Gegenständen einverleibenden Skácel-Poeme (ja, nicht der *Leser* hat *sie* sich einverleibt, sondern umgekehrt) genügt, der Poetik des großen tschechischen Dichters innezuwerden.«

Fischer Taschenbuch Verlag

fi 1818 / 1